KB007313

제국의 향기

DER DUFT DER IMPERIEN

DER DUFT DER IMPERIEN: Chanel No. 5 und Rotes Moskau
by Karl Schlögel
© 2020 Carl Hanser Verlag GmbH&Co. KG, Muenchen
Korean Translation © 2023 by Marco Polo Press. Sejong .
All rights reserved.
The Korean language edition is published by arrangement with
Carl Hanser Verlag GmbH&Co. KG through MOMO Agency, Seoul.

KARL SCHLÖGEL

DER DUFT
DER IMPERIEN

제국의
향기

샤넬 NO.5와 레드 모스크바

마르코폴로

카를 라거펠트(1933~2019)를

추모하며

차 례

한국어판 서문 ·· 9

계획에 없던 연구 ·· 13

제국의 향기 혹은 1913년 '예카테리나 2세가 애용하던 향수'가
러시아 혁명 이후 '샤넬 넘버 파이브'와 소련의 향수
'레드 모스크바'로 이어진 경위 ································· 18

냄새의 풍경:
프루스트의 마들렌과 역사 기록 ···························· 41

'제국주의 사슬에서 가장 약한 고리가 끊어질' 때(레닌):
향수의 세계와 후각 혁명 ·································· 55

벨 에포크와의 작별과 새로운 여성을 위한 의상:
샤넬과 라마노바의 이중혁명 ······························ 83

샤넬의 러시아 커넥션 ·· 102

모스크바의 프랑스 커넥션?
'노동자들의 조국'과 미하일 불가코프의 흔적 ············· 115

오귀스트 미셸의 미완성 프로젝트:
소비에트 향수 궁전 ··· 123

권력의 유혹적인 냄새:
코코 샤넬과 폴리나 젬추지나—몰로토바
20세기 두 명의 커리어 우먼 ······························· 138

다른 세계에서:

  시체 소각장의 연기와 콜리마의 냄새 ··· 177

전쟁이 끝난 후:

  인간은 빵만으로 살 수 없다
  새로운 유행 스타일과 '스틸야기' ··· 186

추가 기록:

  독일 영화의 위대한 여성 올가 체코바,
  화장품과 영원한 청춘에 대한 꿈 ··· 200

하나의 세계가 냄새를 맡는 방법 ··· 211

'검은 사각형뿐만 아니다':

  말레비치의 향수병 ··· 217

참고 문헌 ··· 225
옮긴이 후기 ··· 235
저자 소개 ··· 238
옮긴이 소개 ··· 239

한국어판 서문

나는 이전에 냄새와 향기(향수)에 대한 글을 쓴 적이 없었다. 내 초기의 책들은 리가, 오데사, 체르니우치와 같은 중부 유럽과 동부 유럽 도시들을, 주로 20세기 러시아 역사, 러시아 혁명을 겪은 상트페테르부르크, 스탈린 시대의 대공포를 다루었다. 내 역사관은 무엇보다도 공간, 장소, 현장에 초점을 맞추고 있다. 나는 역사는 '일어나며', 역사는 단지 사건들의 연속 혹은 연대기가 아니라고 생각한다. 그런데 이 책은 두 개의 향수에 대한 이야기이다. 즉 서유럽에서 유명하고 잘 알려진 '샤넬 넘버 파이브'와 옛 소련에서 인기가 대단했지만 서유럽에서는 거의 알려지지 않은 '레드 모스크바'에 대한 이야기이다. 기묘한 것은 이 두 개의 향수가 동일한 기원, 즉 혁명 이전의 브랜드에서 유래한다는 사실이다. 따라서 혁명 이후 이 두 개의 향수가 지닌 아주 유사한 역사를 이야기하려고 한다. 나는 여러분에게 한 방울의 향수에 구현된 20세기 역사를 보여 줄 수 있다고 생각한다.

내가 이 향수들의 역사를 그러니까 '냄새의 풍경'을 다루기로 결심했던 이유와 시기는 언제일까? 1980년대 소련에서 공부했을 때, 나는 중요한 축하 행사장—오페라, 콘서트, 취임식과 그 비슷한 것—에서 아주 특별한 냄새를 맡았다. 내가 알게 된 이것은 레드 모스크바의 냄새였다. 그리하여 이 향수가 어디에서 유

9

래했는지 알아내려고 애썼다. 중요한 사실은, 분단된 베를린에 살면서 장벽을 넘을 때 우리는 항상 서독과 동독에서 상이한 두 개의 냄새의 풍경을 알아챘다는 것이다. 그리하여 냄새의 풍경이 정치 세계와 연결된다는 사실을 분명하게 깨달았다.

사실 향수를 연구하고 관련된 글을 쓰면서 역사의 과정과 역사 쓰기에 대해 많은 것을 배웠는데, 여기에 놀랍게도 숨겨진 연관성이 존재한다는 사실을 깨닫게 되었다. 즉 불연속성, 분열, 혁명의 세계에서 향수의 향기의 연속성, 그리고 우리가 예상할 수 없었던 유사점들이 존재한다는 사실, 소비에트 세계와 서유럽 사회라는 두 개의 아주 이질적이고 심지어 적대적인 정치 체제와 문화 체제에서 미(美)를 창조하려는 유사한 야망이 존재했다는 사실과 마주하게 된다. 역사학자들은 이런 사실들을 명확히 일깨워야 하겠지만, 오늘날 우리가 마주치는 현실 속에서 녹록지 않은 과제이다. 열린 사회에는 경쟁적이며 상충하는 해석들이 존재한다. 그리고 오늘날 러시아의 푸틴처럼—물론 러시아만 그런 것은 아니지만—정치적 권한으로 과거를 지배하려는 위협이 존재한다. 세계의 역사학자들은 모두 열린, 검열받지 않은 담론을 지키기 위해 투쟁하고 참여해야 한다.

로마노프 왕조는 1917년 러시아 혁명이 일어나기 전까지 권력을 잡았다. 마지막 차르의 가족은 볼셰비키에 의해 1918년 살해당했다. 사실 로마노프 왕조는 러시아 제국의 정점에 있는 지배하고 억압하는 계급의 대표였다. 소련이 붕괴하고 난 후에야 비로소 황족의 피를 이어받은 혈육이 우랄산맥에서 발견됐고 러시아의 옛 수도인 상트페테르부르크로 옮겨갔다.

1913년 로마노프 왕조 수립 300주년을 맞이하여 러시아 제국에 있는 프랑스 향수 회사들에 의해 하나의 향수가 만들어졌다. 혁명이 끝난 후 한 명의 조향사는 프랑스로 돌아갔고, 프랑스에서 가브리엘 코코 샤넬을 만났으며, 샤넬은 그의 향수 합성물을 선택하기로 결심했다. 또 다른 조향사는 소비에트 러시아에 남아서 혁명 이후 러시아에서 화장품 산업과 향수 산업을 재건하는 데 힘을 보탰다. 이 두 조향사의 생애는 아주 판이하게 끝을 맺었다. 에르네스트 보는 프랑스 향수 산업에서 중요한 인물 가운데 한 사람이 됐지만, 오귀스트 미셸은 스탈린 시대 대숙청의 혼란에 휩쓸려 사라졌다. 우리는 그에게 무슨 일이 일어났는지를 알지 못한다. 그런데 코코 샤넬의 생애와 여러 해 소비에트 향수 산업을 이끌었던 폴리나 젬추지나-몰로토바의 생애 사이에도 유사점이 존재한다. 코코 샤넬은 독일이 파리를 점령한 시기에 독일인들에게 협력했고, 소련 외무장관 뱌체슬라프 몰로토프의 부인인 폴리나 젬추지나-몰로토바는 스탈린의 핵심층에 속했지만 스탈린 통치 마지막 시기에 '민족주의자' 그리고 '시온주의자'라는 이유로 기소돼 굴라크로 유배되어 스탈린이 사망할 때까지 그곳에 억류되었다. 따라서 이 책은 냄새, 사치품, 권력을 다룬 것이다. 이 세계는 아주 복잡하면서도 미묘하다는 사실을 그리고 일어난 일을 인지하고 이해하기 위해서는 우리의 모든 감각을 사용해야 한다. 즉 눈, 귀, 미각, 냄새, 보이는 것, 들리는 것, 맡아지는 것, 그리고 촉각 등을 사용해야 한다.

향기와 냄새는 중요하다. 기억과 사회 관계는 근본적으로 후각과 미각과 연결된다. 나는 수많은 독자들에게서 편지를 받았는데, 냄새와 향기의 일상적인 경험에 대해 글을 쓰는 역사학자가 존재한다는 사실에 감사를 표시했다. 또 한 노부인은 50년 전에 자신이 구입했던 레드 모스크바 향수병을 작가인 내게 헌사와 함께 보내 주었다.

역설적으로 들릴지는 모르지만, 팬데믹 코로나19는 후각이 중요한 감각이라는 사실을 우리에게 일깨워 주었다. 후각의 상실은 바이러스에 감염됐다는 사실을 알려줌과 동시에 마스크를 쓰거나 우리의 건강을 보호하는 다른 수단들을 강구하라고 경고하는 지표이기도 하다. 놀랍게도 향수의 화학 성분을 생산하던 프랑스의 대규모 향수 공장들은 팬데믹이 유행하던 처음 몇 달 동안 소독제를 공급했다.

카를 슐뢰겔,
베를린 2021년 11월

계획에 없던 연구

향수는 물론이고 냄새와 향기의 세계를 깊이 연구하는 일은 내 인생에서 전혀 계획에 없던 일이었다. 베를린 장벽이 무너지기 전에 베를린-프리드리히 거리의 국경선을 통과한 경험이 새록새록 돋아난다. 나는 세계가 동과 서로 나뉘어진 것처럼 냄새의 세계 역시 동과 서로 분열된 것임을 알았다. 하지만 나의 학문적 어젠다(agenda)에는 다른 소재들과 주제들이 맨 위에 자리 잡았다. 사실상 연구의 틈새를 메우거나 아니면 문화 연구에서의 새로운 '방향 전환'의 증거를 만들어 내려는 의도나 계획은 없었다. 향기의 세계에 대한 내 지식은 그다지 대단하지 않았고 어쩌면 비누, 냄새 제거제, 크림 제(劑)와 향수에 대해 최소한 것만을 아는 사람의 일반적인 경험과 다르지 않았을 것이다. 오히려 향기의 세계와 접촉은 드물었고 우연이었다. 나는 백화점의 향수 코너(보통 1층에 있어서 피하기가 거의 불가능하다)를 가로지르거나 탑승구로 가는 도중에 어쩔 수 없이 만나는 공항의 면세점 상점들을 지나갈 때만 향기의 세계와 접촉했다. 내 주목을 끌었던 것은 향기 혹은 향기의 특이한 혼합이 아니라 오히려 크리스탈 글라스의 빛과 반짝임, 색채와 거울과 유리에서 뿜어내는 무지개의 빛과 반짝임 그리고 이곳의 스태프나 종업원이 아니라, 살아 있는 우아함의 화신인 모델들, 곧 완벽하게 화장을 한 여성들이었다. 무한한 색채와 뉘앙스의 농담(濃淡)을 지닌 이 눈부신 세계가 내게는 늘 낯설게 느껴졌다.

그럼에도 나는 거리낌 없이 그리고 사전 지식 없이 이 특별한 세계로 과감하게 들어가고 싶은 강력한 충동을 느꼈다. 단지 덧없이 흘러가는 인상 이상의 것으로 판명됐던 최초의 충동 때문에 염려는 모두 사라졌다. 이 충동은 그 고유의 욕구와 끌어당기는 힘을 발전시키는 추적의 형태로 단서를 조사하는 것이었다. 단서가 노출되고 스토리가 이야기될 때 비로소 욕구와 끌어당기는 힘은 사라지고 소멸한다.

처음에 향기가 있었다. 소련의 모든 축제 시즌에 향기는 공간을 채웠다. 그 공간은 모스크바 음악학교, 볼쇼이 극장, 대학 졸업식장과 결혼식장이었다. 내 기억 속에서는 약간 달콤하고 독한 향기가 상당히 고루한 군중들, 윤이 나는 쪽매널 마룻바닥 빛을 발하는 샹들리에, 중간 휴식 시간 동안 극장 로비를 빙빙 도는 청중들과 연결되었다. 나는 이 향기를 나중에 동독에서도 만났다. 대개 공식 접대에서, 동독과 소련이 회의하는 상황에서 그리고 장교 클럽에서 만났다. 나의 원래 생각은 이 향기를 추적하고 필요하다면 상표의 이름을 찾아내는 것이었다. 우리는 대단한 성공을 거둔 샤넬 넘버 파이브의 스토리를 알지만, 가장 인기 있는 소련 향수의 역사를 전혀 알지 못한다. 밝혀진 바로는 이 두 향수는 러시아 제국에서 활동한 프랑스 출신 조향사(調香師)들이 함께 만든 혼합물에서 유래했다. 조향사들 가운데 한 사람인 에르네스트 보(Earnest Beaux)는 러시아 혁명과 내전이 끝난 후에 프랑스로 돌아와서 코코 샤넬을 만났고, 또 다른 조향사인 오귀스트 미셸(Auguste Michel)은 러시아에 머물면서 소련의 향수 산업을 설립하는 데 힘을 보태며 '여제 예카테리나 2세가 애용하던 향수'를 주성분으로 해서 '레드 모스크바' 향수를 만들었다. 두 향수는 새로운 향기 세계의 탄생을, 근본적으로 다른 인생 스토리를, 20세기 전반의 파리와 모스크바의 문화 환경을 그리고 두 커리어 우먼에게 스며들었던 유혹적인 권력의 향기를 대변한다. 커리어 우먼인 코코 샤넬은 독일에 점령당한 파리에서 독일인들과 관계를 유지했고, 코코 샤넬보다 덜 유명한 또 다른 커리어 우먼인 폴리나 젬추지나는 소련 외무장관 뱌체슬라프 몰로토프의 부인이며 인민 위원으로, 잠시 소련 화장품 산업과 향수 산업 전체를 책임졌다. 코코 샤넬은 전쟁이 끝난 후 잠깐 스위스에 정착했고, 폴리나 젬추지나는 1940년대 후반 반유대주의 캠페인의 일환으로 5년 동안 유배 생활을 하게 됐으며, 그곳에서 '집단 수용소의 냄새'를 경험했다. 샤넬은 1950년대 파리 패션계에서 성공을 거뒀던 반면, 젬추지나는 남편과 함께 모스크바에서 은둔 생활을 했고 1970년 사망할 때까지 열렬한 스탈린주의자로 남았다. 내 연구의 부차적인 부분은 '독일 영화의 위대한 여성'인 올가 체코바에게로 이어졌다. 그녀 역시 숙달된 미용사였다.

향수 '레드 모스크바'는 인기가 있었지만 소련 말기의 불경기와 세계 향수 산업의 압력에 맞설 수 없었다. 하지만 '레드 모스크바'는 소련 해체 이후 러시아 시장에 되돌아왔고, 향수병 수집가들의 열정에 힘입어 소위 '잃어버린 시간을 찾아서'의 상징이 되었다. 이러한 찾기를 통해서 놀라운 사실들이 발견되기 마련이다. 특히 20세기 예술의 아이콘인 '검은 사각형(블랙 스퀘어)'을 그리기 전의 카지미르 말레비치가 소련에서 가장 많이 팔린 향수병을 디자인했다는 사실이 새롭게 알려졌다.

장기간 연구를 하는 동안 그다지 특별한 일은 없었지만, 놀라운 발견들은 연구를 또다시 촉진했다. 러시아 도시의 시장 거리에서 배회하면서 혁명 이전의 광고 포스터를 수집하기 시작하면, 여러분은 도처에서 전문가로 변한 아마추어들을 만나게 된다. 만약 당신이 파리의 방돔 광장과 캉봉가 31번지를 순례하게 된다면 보통 사람들의 일상생활 역사에 대한 연구에 못지않게 사치의 세계가 사회를 분석하는 데 도움이 된다는 사실을 알게 될 것이다. 생토노레 거리에 있는 부티크와 향수 판매점은 손재주의 위엄과 예술가와 디자이너의 무한한 상상력을 알게 만든다. 이 책은 위대한 카를 라거펠트로부터 영감을 받지 않고서는 쓰일 수 없었을 것이다. 평소라면 잘못 들어서지 않았을 박물관과 아카이브를 방문하면, 특수한 상황을 감안해야 비로소 보이기 시작하는 네트워크를 발견하게 된다. 코코 샤넬과 디아길레프가 동년배이고 티파니, 갈레 혹은 랄리크와 말레비치가 동년배라는 사실을 깨닫게된다. 인터넷을 뒤져 보면 레드 모스크바가 이제 노스텔지아에 젖은 수집가의 아이템이 아니라, 온라인으로 주문 가능한 아이템이라는 현실을 발견하게 된다.

모든 시대는 각각의 방향(芳香), 향기, 냄새를 갖고 있다.

'극단의 세기'는 그 나름의 냄새의 풍경을 만들어 낸다. 혁명, 전쟁, 내전도 후각과 관련된 사건이다. 지난 세기의 분열된 세계는 늦게나마 제대로—말하자면 '우리의 코'로—탐색되고 이야기될 수 있다.

2019년 봄, 베를린/로스엔젤레스
카를 슐뢰겔

제국의 향기 혹은
1913년 '예카테리나 2세가 애용하던 향수'가
러시아 혁명 이후 '샤넬 넘버 파이브'와
소련 향수 '레드 모스크바'로 이어진 경위

모든 것이 우연의 일치인 것처럼 보인다. 1920년 늦여름 코코 샤넬은 칸에 있는 실험실에서 조향사 에르네스트 보를 만났다. 아마도 드미트리 파블로비치 로마노프가 만남을 주선했을 것이다. 그는 러시아 황족이며 마지막 황제의 사촌으로 대공(大公) 칭호를 얻었고 당시 샤넬의 연인이었다. 러시아에서 추방당한 후 그는 프랑스에서 살았다.[01] 1916년 겨울 라스푸틴의 살해를 기획했던 펠릭스 유수포프 공작의 절친인 대공 드미트리 파블로비치처럼 에르네스트 보는 사치의 세계와 러시아 귀족 사회의 패션에 심취했다. 이전에 모스크바에 있는 황실 향수 공급업체인

---

01 샤넬 넘버 파이브와 레드 모스크바로 이어지는 흔적은 내 책 『Das sowjetische Jahrhundert. Archäologie einer untergegangenen Welt』(München 2017)에 처음 수록됐다.

나는 여기서 그리고 이 책 전체에서 1979년 프랑스에서 처음 출판된 가브리엘 샤넬 전기(Edmonde Charles-Roux: Coco Chanel. Ein Leben, Wien 1988.)를 따른다. 그녀의 삶에 대한 많은 다른 설명에 대해서는 Axel Madsen: Coco Chanel: A Biography, London 2009; Paul Morand: L'Allure de Chanel, illustrations de Karl Lagerfeld, Paris 1996.을, '향수의 로마' 그라스에 대해서는 Grasse. L'usine á parfums, Lyon 2015를 참조하시오.

알퐁스 랄레 회사에서 수석 조향사로 일했던 보는 러시아 혁명과 내전이 종식된 후 프랑스로 돌아와서 랄레 회사를 인수한 프랑스 향수 제조업체인 그라스 소재 크리스에 합류했다. 1913년에 그는 로마노프 왕조 수립 300주년을 기념하기 위해 황후 카타리나 2세[02]가 애용하던 향수를 개량했고, 1914년에 '랄레넘버원(Rallet No. 1)'으로 상표 이름을 바꾸었다. 그 이유는 러시아가 독일과 전쟁을 치르는 동안 러시아 고객들에게 안할트-체르프스트 출신의 여제에게 존경을 표시하라고 강요할 수 없었기 때문이다. 보는 이 향수의 제조법을 프랑스로 가지고 갔고 그곳에서 이 제조법을 새로운 프랑스 상황에 맞게 수정하려 했다. 시리즈로 구성된 10개의 향수 샘플 중에서 코코 샤넬은 넘버 5를 선택했고, 나중에 이 향수는 '샤넬 넘버 파이브'라는 브랜드 이름으로 출시됐다.

『세계에서 가장 유명한 향수의 상세한 역사』의 저자인 틸라르 J. 마제오는 그 장면을 다음처럼 묘사한다. "그들 앞에는 숫자 1부터 5까지 그리고 숫자 20부터 24까지 라벨이 붙은 열 개의 작은 유리 플라스크가 있었다. 일련의 숫자들 사이의 공백은 이 향수들이 두 가지 서로 다른—상호보완적이지만—시리즈에 속했으며 새로운 향수를 얻기 위한 상이한 '접근'이었다는 사실을 보여 주었다.

---

02 카타리나 2세는 러시아 제국의 황후이자 여제다. 로마노프 왕조의 여덟 번째 군주로, 본래는 프로이센 슈테틴 출신의 독일인이었다. 무능한 남편 표트르 3세를 대신해 섭정을 맡았으며, 1762년 남편 표트르 3세를 축출하고 임페라토르가 되었다. (옮긴이 주)

이 작은 유리 플라스크들 안에는 각각 프로방스산 장미의 향기, 재스민 그리고 알데히드로 조합된 새로운 향수가 들어 있었다. 전설에 따르면 10개의 플라스크 가운데 한 플라스크에 조심성 없는 실험실 조교가 아직은 규명되지 않은 원액을 엄청나게 대량으로 쏟았다. 조교는 실수로 10퍼센트의 희석액이 아니라 원액을 플라스크에 부어 넣었다.

코코 샤넬은 조향사의 저울들, 계량컵들과 약병들에 둘러싸여 냄새를 맡으려고 코를 킁킁거리면서 방에서 하루를 보내며 곰곰이 생각했다. 샤넬은 샘플들을 하나씩 천천히 코밑에 갖다 대었고, 방에서는 그녀가 천천히 숨을 들이마시고 내뱉는 소리가 들렸다. 그녀의 얼굴에는 아무것도 드러나지 않았다. 그것은 그녀를 아는 사람들은 모두 기억하고 있었던 것으로 그녀의 얼굴 표정에는 전혀 변화가 없는 것처럼 보였다. 그리고 나서 그 향수들 중 하나에 그녀의 감각 세계는 반응을 보였다. 그녀가 미소를 보였고 마침내 주저 없이 '넘버 5'라고 말했기 때문이다. 그녀는 나중에 말했다. "정말 그것은 내가 기다리고 있었던 거예요. 이 이상의 향수는 없어요. 여성의 향기를 지닌 여성의 향수예요." '넘버 5'라고 이름 짓는 것에 그녀는 자신감이 있었고 의심이 없었다. 샤넬은 에르네스트에게 이렇게 대답했다. "나는 일 년의 다섯 번째 달인 5월 5일에 패션쇼를 할 거예요. 그러니 이 넘버 5라는 샘플의 이름을 그대로 사용하는 게 좋을 것 같아요.

│ 샤넬 넘버 파이브

이것은 우리에게 행복을 가져다줄 거예요."[03]

몇 년 후 1946년 2월 27일 연설에서 에르네스트 보는 전설의
향수가 탄생했던 순간을 이렇게 묘사했다. "사람들은 내게 샤넬
넘버 파이브를 만들어 낸 비결을 물었습니다. 첫째, 나는 전쟁
에서 돌아온 해인 1920년에 이 향수를 만들었습니다. 나는 군대
에서 북극권 한계선 가까이 달빛을 받아 찰랑거리는 호수가 보
이는 북유럽 국가들에 배치받아 지냈습니다. 나는 언제나 이 특
유의 냄새를 기억했고 엄청나게 노력한 끝에 가까스로 그 냄새
를 다시 만들어 냈습니다. 둘째, 왜 이런 이름일까요? 아주 성공

---

03 Tilar J. Mazzo: Chanel No. 5, Die Geschichte des berühmtesten Parfums der Welt, Ham
burg 2012, 81쪽.

적인 패션 전문기업을 소유한 샤넬 부인이 자신이 사용할 향수를 만들어 달라고 부탁했습니다. 나는 그녀에게 숫자 1에서 5까지 그리고 숫자 20에서 24까지로 구성된 시리즈를 보여 주었습니다. 그녀는 넘버 5를 포함해서 샘플 몇 개를 골랐습니다. "이 향수의 이름을 뭐라고 할까요?" 내가 그녀에게 물었습니다. 샤넬 부인은 대답했습니다. "일 년의 다섯 번째 달인 5월 5일에 패션쇼를 할 거예요. 그러니 이 NO. 5라는 샘플의 이름을 그대로 사용하는 게 좋을 것 같아요. 이것은 우리에게 행복을 가져다줄 거예요. 나는 그녀가 잘못 생각하지 않았다는 걸 인정합니다. 이 새로운 향수는 엄청나게 큰 성공을 거두었습니다. 샤넬 넘버 파이브만큼 그렇게 많은 숭배자들이 따르고 지속적으로 모방한 향수는 없었습니다."[04]

샤넬 넘버 파이브는 장미, 재스민, 일랑일랑 오일 혹은 백단유와 같은 전통적으로 사치스러운 향기와 관련이 없었고, 대신 새로운 시대에 걸맞게 새로운 방법을 시도했다. 새로운 것은 향수를 화학적으로 생산하는 것이고 알데히드와 세기 전체의 후각 세계를 변화시키고 샤넬 넘버 파이브를 이 시대의 가장 위대한 향수로 만들 재료들을 이용해서 작업하는 것이다. 알데히드가 사용된 것은 이번이 처음은 아니었지만 유명한 향수에서, 그렇게 대량으로 "완전히 새로운 향수 유형을 만들어 내면서 사용

04 Konstantin M. Verigin: Blagouchannost'. Vospominanija parfjumera, Moskva 1996, 50 쪽에서 인용: 여기서는 클레오그라프 출판사의 인터넷-판에서 인용함. https://www. e-reading.club/book.php? book=1016413(2019.3.15.) 프랑스어-판은 Constantin Weriguine: Souvenirs et parfums: Mémoires d'un parfumeur, Paris 1965.

1921년 무렵
에르네스트 보

된 것은 처음이었다. 꽃향기를 내는 알데히드로 알려진 이 향수 유형은 알데히드의 향기가 꽃의 향기만큼 중요한 향수에 사용되는 용어이다."[05]

　연금술과 비누 제조에서 기원한 것을 부인할 수 없을 만큼 오랜 역사를 지닌 향수 제조 기술은 이로써 산업시대의 화학과 충돌했다. 알데히드는 산소, 수소와 탄소의 원자들이 특별한 방식으로 배열된 분자이다. 알데히드는 산소의 영향으로 알코올이 산소로 변하는 산화가 진행되는 유기적 반응의 한 단계이다. 알데히드는 실험실에서 만들어진 합성 분자이다. 알데히드는 화

---

05 Mazzeo: Chanel No. 5, 88쪽: 샤넬 넘버 파이브의 제조 방식에 대해서는 https://de.wikipedia.org/wiki/Chanel_No-5(2019.3.7.)를 참조하시오.

학자들에 의해 분리되어 시나몬, 오렌지 껍질의 싸한 냄새, 레몬 그라스 등과 같은 다양한 냄새를 만들어 낼 수 있는 안정된 분자가 된다. 하지만 휘발성이 강한 물질로, 빠르게 희미해지다가 결국 완전히 사라진다. 알데히드는 향수의 향기를 강화하고 "톡 쏘는 상쾌함 혹은 잠시 동안 전기 불꽃과 같은 전율을 유발하면서 신경계 안에서 반응을 촉발한다. 상쾌함과 전율 때문에 샤넬 넘버 파이브는 차가운 샴페인 거품이 터지는 것처럼 감각을 자극한다". 이것이 에르네스트 보가 러시아 내전을 피해 북극권 한계선 너머 콜라 반도의 눈 덮인 툰드라를 가로지르며 경험했던 것을 바탕으로 새로운 향수에 적용시키려한 효과이다. "알프스의 고산 스텝 지대와 황량한 북극 툰드라의 눈 속에는 알데히드가 다른 지역의 눈 속보다 농도가 10배는 높다. 그래서 그곳의 공기와 얼음은 더 자극적이고 향기가 더 짙게 느껴진다." 보는 강렬하고 달콤한 향수를, 물론 가격도 비싼 향수를 만들어 내기 위해서 샤넬 넘버 파이브에 들어 있는 눈과 눈이 녹은 물의 강렬한 향기에 꽃과 향수의 본고장인 그라스에서 구한 재스민을 풍부하게 첨가했다. "감각을 자극하는 꽃향기와 알데히드의 금욕주의 사이의 본질적인 대비는 샤넬 넘버 파이브와 그 엄청난 성공에 깃든 비밀의 일부분이다."[06]

사실, 수많은 가설이 있다. 샤넬 넘버 파이브가 조교의 배합 실수였다는 가설은 장미와 재스민의 조화가 알데히드 합성

---

06 Mazzeo: Chanel No.5, 85–87쪽.

물과 절묘하게 균형을 이룬다는 사실에 의해 반박된다. 따라서 샤넬 넘버 파이브는 체계적 연구의 결과이다. 샤넬 넘버 파이브가 상쾌한 북극 공기에서 영감을 받았다는 가설은 보가 이미 1913년에 만든 예카테리나 2세가 애용하던 향수에서 사용했다는 사실로 반박된다. 이 향수는 프랑스 조향사인 로베르 바아네메(1876~1960)가 만든 유명한 향수 '켈크 플뢰르'의 영향을 받았다. 따라서 가장 그럴듯한 시나리오는 샤넬 넘버 파이브가 1913년에 만든 예카테리나 2세가 애용하던 향수의 (수정된) 리메이크일 것이다. 보는 일 년 후에 이름을 바꾸어서 '랄레 넘버 원'으로 출시했다.[07]

샤넬 넘버 파이브는 31개의 원료로 구성되었다고 한다. 주제에 알맞게 말하고 싶은 향수 전문가들의 정교한 언어로 향기 목록은 이렇게 서술(혹은 장황하게 설명)된다. "탑 노트[08]는 밀랍 장미 꽃잎과 오렌지 껍질이 완벽하게 조화를 이룬, 매우 신선하고 가볍게 금속성을 띤—밀랍 같은—타는 냄새가 나는 알데히드 혼합물 C-10/C-11/C-12(1:1:1.06%)에 지배된다. 알데히드 혼합물에 섞인 비타민 p-구연산 성분은 베르가모트 향유, 리나놀, 페티그레린 오일에 의해 더 강해지고 두드러진다. 하트 노

---

07 향수 창작에 대한 다양한 설명에 대해서는 Michael Edwards: Perfume Legends: French Feminine Fragrances, Levallois 1996, 43쪽; Joachim Laukenmann: Es riecht nach Remake.를 참조하시오. 샤넬 넘버 파이브는 실패한 러시아 향수에서 생겨났다, 2007년 9월 30일의 일요일-신문: 다양한 설명에 대해서는 https://de.wikipedia.org/wiki/Chanel_No_5(2018.10.13.)를 참조하시오.

08 향수를 뿌린 직후부터 알코올이 날아간 10분 전후의 향. (옮긴이 주)

트[09]는 재스민, 장미, 은방울꽃(하이드록시시트로넬랄), 시베리아 붓꽃과 일랑일랑 오일에 의해 메워진다. (…) 샤넬 부인이 재스민 성분의 농도를 높이라고 요구하자, 보는 이윤을 고려해서 재스민을 토대로 한 재스민 향수와 장미를 토대로 한 자신의 'E. B. 장미'(에르네스트 보의 첫 글자를 딴 E. B.—칼[劍] 문장(紋章))를 만들어 재스민 성분의 농도를 높였다. 핏빛의, 향기가 진한 하트 향은 붓꽃 향기를 포착해서 묽게 한, 불순물을 걸러낸—볼륨 있는 붓꽃 향이 섞인 요논 향료[10](이렐리아)로 인해 미묘한 향기의 차이를 만들어 낸다. 나머지 성분들은 오월의 장미, 등화유 추출물과 브라질산 통카콩이다. 계피와 이소유게놀[11]의 특색 있는 향기는 긴장 상태를 종결시키고 혼합물의 주성분을 지각하게 만든다. 이것과 관련해서 향의 주성분의 기원에서 남성 향수와 대조되고 보의 필적을 증명하는 베티버—향수(고급 향수 자바)는 여성용 향수로는 이례적이다. 이 오동나무 향은 백단향유와 파슬리향유로 인해 미묘한 향기의 차이를 만들어 낸다. 바닐린, 쿠마린[12]과 안식향은 매우 육감적인 사향/혼합물을 지각하게 만든다. 사향/혼합물은 혼합의 최종 단계에서 주제를 결정하며 1921년의 원작에서는 사향/혼합물이 눈에 띄지 않게 오크모스와 계피

---

09 탑 노트 향이 지나간 후 나는 향. (옮긴이 주)

10 화학식은 $C_{13}H_{20}O$, 노란빛을 띤 향료로 테르펜 색조에 속한다. 인공 향료로 묽게 해서 사용하며 진한 제비꽃 냄새가 난다. (옮긴이 주)

11 화학식은 $C_{10}H_{12}O_2$. (옮긴이 주)

12 쿠마린은 향기가 나는 유기 화합물의 하나로, 화학식은 C 9H 60 2이다. 쿠마린은 무색의 결정 고체이며 바닐라향과 유사한 달콤한 향이 나고 쓴맛을 낸다. (옮긴이 주)

냄새가 감도는 니트로-사향 물체인 사향 케톤과 사향 암브레트[13]가 상호작용하는 사향/주입제와 사향 고양이 분비물/주입제로 구성됐다. 종(種) 보호 때문에 진짜 사향은 금지되고 니트로/사향은 광독성(光毒性) 때문에 제한되기 때문에, 제조 방식은 시간이 흐르면서 거듭 수정되고 새로운 안전 규정을 따른다."[14] 분자 분석은 샤넬 넘버 파이브의 혈통을 명백히 증명했지만, 동시에 제조 방식은 오늘날까지 비밀로 남아 있다고들 말한다.[15]

샤넬 넘버 파이브가 발전한 경위를 포함해서 이 향수를 둘러싼 많은 것이 불확실성으로 뒤덮여 있다. 이것은 특히 파트리크 쥐스킨트의 소설 『향수』[16]가 보여 주듯이 비밀에 의존하는 산업의 속성과 관계가 있다. 하지만 샤넬 넘버 파이브를 구성하는 요소들만으로는 이 특별한 향수가 거둔 엄청난 성공을 설명하지 못한다. 이정도로 대단한 성공을 거두기 위해서는 다른 많은 일이 일어나야만 했다. 우리는 나중에 그 다른 많은 일을 확인하게 될 것이다. 샤넬 넘버 파이브는 카를 라거펠트가 코코 샤넬에 대한 존경의 표시로 '러시아 커넥션'이라고 지칭한 것의 생산

---

13 좋은 암브레트 시드 오일은 머스크, 플로럴, 달콤한 향을 동시에 가지고 있으며 이국적이고 동양적인 향수의 보류제로도 사용된다. (옮긴이 주)

14 제조 방식은 https://de.wikipedia.org/wiki/Chanel_No_5(2018.10.13.)에 있다.

15 Mazzeo: Chanel No. 5, 94쪽.

16 「어느 살인자의 이야기」라는 부제가 붙은 이 소설은 18세기 프랑스 파리를 배경으로 극히 예민한 후각을 지니고 태어난 후각 천재의 짧은 일대기를 담고 있다. 자신은 아무런 체취도 없으면서 세상의 모든 냄새를 소유하고 지배하고자 하는 욕망을 지닌 사악한 주인공이 최상의 향수, 즉 가장 좋은 체취를 얻기 위해 스물다섯 번에 걸친 살인도 마다하지 않는 광기의 일생이 흥미진진하게 전개된다. 『향수』를 쓰던 시절, 파리에 있는 쥐스킨트의 다락방에는 18세기 파리의 대형 지도가 한쪽 벽면을 다 차지하고 있었고, 그는 수시로 향수의 도시 그라스로 취재 여행을 떠났다고 한다. (옮긴이 주)

물이다. 즉 샤넬 넘버 파이브는 샤넬, 보 그리고 대공 드미트리 파블로비치를 단순히 합한 것 이상의 것이다.[17] 에르네스트 보는 자신이 만든 러시아 향수를 출발점으로 사용했지만, 결국 더 대담한 향수를 개발했다. "샤넬 넘버 파이브는 모스크바와 상트페테르부르크와 드미트리의 부유한 유년 시절에서 냄새를 수집했고, 몰락하는 제국의 마지막 나날에 기억한 북극의 강렬한 신선함을 잡아냈다. 무엇보다도 몰락하는 제국은 코코 샤넬에게는 감각의 전체 목록이었다. 즉 상쾌한 리넨과 따스한 피부의 냄새, 오바진과 로얄리유[18]의 냄새 그리고 보이와 에밀리엔에 대한 추억이었다. 샤넬 넘버 파이브는 코코 샤넬의 시그니처 향수였다. 그녀처럼 이 특별한 향수는 잘 알려지지 않은 복잡한 과거를 가지고 있다."

샤넬은 '황금의 20년대 정신을 정확하게 포착'했고 결국 후각의 결정적인 촉매제인 향수산업에 '패러다임의 전환'을 가져왔다.[19] 샤넬 넘버 파이브 향수병보다 이 패러다임의 전환을 더 잘 표현한 것은 없다. 샤넬 넘버 파이브 향수병이 전하는 메시지는 꽃과 색깔의 화려함, 장식과 꾸밈의 시대는 지나갔고 새로운 시대가 시작됐다는 사실이다. 2012년 파리의 팔레 드 도쿄에서 중요한 샤넬 넘버 파이브 전시회를 개최했던 장 루이 프로망은 이

---

17 Karl Lagerfeld: Chanel's Russian Connection, Göttingen 2009.

18 샤넬의 립스틱. (옮긴이 주)

19 Mazzeo: Chanel No. 5, 93, 89쪽.

향수가 '시대정신'을 구현한 것이라고 말한다.[20]

훨씬 더 잔혹한 '패러다임의 전환'은 러시아에서 전쟁, 혁명 그리고 내전의 10년으로 불리는 '혼란의 시기'에 일어났다. 이러한 혼란 속에서 공장들은 문을 닫았고 소유권은 박탈당했고, 직원들은 쫓겨나거나 살해당했으며, 소유권 변동으로 공문서는 파기되거나 혹은 전 세계로 흩어졌다. 노동자들이 먹고살기 위해서 시골 지역으로 되돌아갔고, 원료 공급이 내전의 혼란과 봉쇄 때문에 중단되었으며, 심지어 사치품 산업인 향수 산업을 중지하려는 근본적인 계획이 논의되면서 공장들은 문을 닫았다. 외국 전문가들은 사라졌고(독일인들은 이미 1914년 제1차 세계대전이 발발했던 해에 '적대적인 외국인'으로 여겨졌다), 근무 기강은 생산 활동이 감소하면서 무너졌다. 혁명 이전에 1,000명의 직원을 고용했던 모스크바의 브로카르와 같은 거대한 화장품과 향수 회사는 직원이 200명으로 줄어들었으며, 향수 장인들과 기술자들은 도망쳤고, 건물의 용도는 변경됐다. 예전의 브로카르 회사 건물은 잠시 '고스나키'를 제작하기 위해, 즉 러시아 화폐를 인쇄하기 위해서 지역으로 되돌아갔고 브로카르의 계승자들은 예전 벽지 공장으로 이전해야만 했다. 1914년 브로카르 50주년을 기념하는 호화로운 출판물은 브로카르 회사가 당시 모스크바의 가장 현대적인 공장 시설과 세계에서 가장 큰 향수 제조 공장이었다

---

20 Jean-Louis Froment: No.5 Culture Chanel, Ausstellung im Palais de Tokyo, New York 2013, 머리말.

는 사실을 보여 준다.[21] 모두가 궁금한 내전 기간이 끝나고도—
종이는 공급 부족이고 모든 도서들이 '부르슈이키'로 불리는 난
로 속으로 들어갔던—회사를 러시아 제국 전체에 유명하게 만들
었던 향수 광고 포스터들을 계속 사용될 것이라고 생각한 사람
은 아무도 없었다. 개인 기업들은 국유화됐고 새로운 이름을 부
여받았다. 브로카르 회사는 처음에 제5 국영 비누 공장이 됐고
나중에 노바야 자랴(새로운 새벽)로 불렸다. 랄레 회사는 제4 비
누 공장이 됐고 1924년 이후에는 스보다(자유) 기업이 됐다. 'S.
I. 체펠레베츠키와 아들들' 향수 공장은 프로프라보트니크(노동
조합원) 공장으로 전환됐고, 쾰러 회사는 제12 파름자보드(제약
회사)가 됐다.[22] 생산이 재개되면, 또 생산이 재개될 때 사람들이
절박하게 요구한 위생용품이 집중적으로 생산됐다. 이렇게 해
서 향수 산업은 적어도 당분간 그 시초인 비누 제조로 되돌아갔
다. 식량 조달 캠페인 기간 동안 농부들에게서 빵과 맞바꾸기 위
한 기본적인 위생용품이 필요했던 붉은 군대의 수요가 매우 중
요했다. 비누와 향수는 교환경제에서 귀중한 상품이 됐다. 이 교
환경제에서는 비누 한 개가 생명을 구하는 한 덩어리의 빵에 상
당한 가치를 지닐 수 있었다.[23]

　　러시아 연구자들에 따르면, 폐쇄 위협을 받는 기업들이 다시

21　Die Brokar Festschrift zum 50. Firmenjubiläum: Zolotoj jubilej tova-riščestva Brokar i
　　K, Moskva 1914.

22　1917년 이후 공장 국유화에 대해서는 Manfred Hildermeier: Geschichte der Sowjetuni
　　on, München 1998, 105-156쪽을 참조하시오.

23　식량 조달, 매점매석과 암시장에 대해서는 A. Ju. Davydov: Mešočniki i diktatura v Ro
　　ssili 1917-1921 gg., Sankt Petersburg 2007을 참조하시오.

재가동하게 됐던 것은 노동자들과 직원들의 공로였다. 여성 노동자이며 볼셰비키 당원인 에브도키야 이바노브나 우바로바는 제5 비누 공장(과거 브로카르)의 책임자였고 개인적으로 레닌에게 도움을 청했다.[24] 그 결과 브로카르와 다른 회사들에 의해 사용된 귀중한 원액 일부를 되찾을 수 있었고, 대단히 줄어든 규모이기는 하지만 공장을 재가동하는 데 사용할 수 있었다.

혁명과 국유화 이후 브로카르와 랄레 같은 회사들로부터 넘겨받았던 가장 중요한 유산은 도구, 기계, 원료 등과 같은 물질적인 것이 아니라, 향수의 배합과 제조 공정에 대한 지식을 가지고 있는 기술자들과 경영진의 전문적인 능력이었다. 브로카르(특히 노바야 자랴) 회사의 경우 이런 역할을 맡은 사람은 오귀스트 이폴리토비치 미셸인데, 그는 브로카르 향수의 제조 방식을 알고 있었다. 1924년 방향유는 다시 수입됐으며 오귀스트 미셸은 향수의 구성에 전념했다. 그의 첫 번째 창작품은 1925년 '마농'이었다. 같은 해에 크라스나야 모스크바(레드 모스크바)가 개발됐다. 조향사 S. A. 보이트케비치가 서술한 바에 따르면 크라스나야 모스크바는 오렌지꽃, 레몬, 베르가모트와 사향으로 구성됐다. 향기의 기본 향은 알파 이소메틸 이오논인데, 이 향은 향수의 35%를 구성했다. 또 다른 설명에 따르면 향수는 60가지 성분을 포함한다. 그 가운데는 붓꽃, 제비꽃, 정향, 일랑일랑 오

---

24 N. A. Dolgopolova: Parfjumerija v SSSR. Obzor i Ličnye vpečatlenija kollekcionera. Kniga pervaja, Moskva 2016, 57쪽 이하.

일과 용연향이 있다.[25] 이 향수는 1925년에 만들어졌지만 1927년에 비로소 10월 혁명 10주년을 기념하여 시장에 출시됐다.[26]

오랫동안 소련에서는 오귀스트 이폴리토비치 미셸에 대해 아무도 이야기하지 않았고 그의 향수 저작권은 계속 의심을 받았다. 듣자 하니 알렉세이 포구드킨과 파벨 이바노브와 같은 사람들에게 훈련받았던 소비에트 향수 산업의 개척자들마저 자신들의 스승인 외국인 조향사 오귀스트 미셸에 대해 나쁘게 말했다고 한다. 하지만 결국 2011년에 노바야 자랴의 총책임자인 안토니나 비트코브스카야는 오귀스트 미셸이 '유명한 크라스나야 모스크바'를 만든 장본인이었다고 선언했다. 그녀는 당시 러시아 대통령 드미트리 메드베데프에게 향수 한 병을 선물로 주면서 이렇게 말했다. "크라스나야 모스크바는 러시아 향수 제조의 전설입니다. 우리 공장에는 1913년 샘플이 보존되어 있습니다. (…) 우리는 러시아 향수 제조 역사의 한 부분을 감아쥘 수 있도록 당신에게 이 샘플을 드립니다." 그것은 원래의 향수병이었고 혁명 이후 크라스나야 모스크바로 이름을 바꿨던 원래의 향수였다. '노바야 자랴' 공장 안에 있는 향수 예술 모스크바 박물관에

---

25 Dolgopolova: Parfjumerija v SSSR, I, 124쪽. 실제로 그 향이 서서히 피부에 퍼졌던 부케를 기억하게 한다. https://fanfact.ru/duhi-krasnaja-moskva-pridumal-francuzskij-parfjumer/(2019.3.11.).

26 이 내용은 Marina Koleva: Sovetskaja parfjumerija, in: Sovetskij stil'. Vremja i vešči, Moskva 2012, 74-85쪽. 여기서는 80쪽; Viktorija Vlasova: Krasnaja Moskva. Žizn' i legendy. 2018.11.25.: https://www.fragrantica.ru/news/Красная-Москва-жизнь-легенды-7721.html(2019.3.7.); Nina Nazarova: Russkaja Služba Bi-bi-si 2017년 9월 19일: 'Krasnaja Moskva': kak priduman-nye do revoljucii duchi stali simvolom SSSR, in: http://www.bbc.com/russian/features-41304033 (2017.9.22.).

| 크라스나야 모스크바(레드 모스크바)

는 예카테리나 2세가 애용하던 향수와 크라스나야 모스크바의
샘플이 진열장에 나란히 전시되어 있다.[27]

사실 이야기는 그렇게 분명하지 않다. 에르네스트 보의 전기
와 삶의 단계들은 자세히 알려져 있는 반면, 오귀스트 미셸의 전
기는 대부분 비밀에 싸여 있다. 그는 랄레 회사의 수석 조향사이
며 차르 궁정에 향수를 조달하는 알퐁스 랄레의 아들로 1881년
모스크바에서 태어났다. 프랑스에서 교육을 받고 군 복무를 마
친 후 1902년 다시 러시아로 돌아와서 랄레 회사의 수석 조향사
가 됐다. 그는 1912년 보로디노 전투 100주년을 기념하기 위해
출시된 '부케 드 나폴레옹'으로 큰 성공을 거두었다. 이러한 성

27 Dolgopolova: Parfjumerija v SSSR, I, 215쪽. RIA Novosti 2011년 10월 10일. Medvede
vu podarili duchi počti stoletnej vyderžki. http://ria-ru/society/20111010/454649754.
html (2019.8.20.).

공은 1913년 로마노프 왕조 300주년을 기념하기 위해 '부케 드 카타리나'를 만들었을 때 반복됐다. 1914년에 황후 카타리나 2세를 기념하기 위해 만든 이 향수는 제1차 세계대전에서 러시아의 동맹국인 프랑스를 위해서 '랄레 넘버 원'으로 이름이 바뀌었다. 러시아 내전이 끝난 후 1920년에 보가 코코 샤넬에게 소개했던 향수가 바로 이 향수의 수정판이었다. 반면 오귀스트 미셸에 대한 자료는 얼마 안 되고 모순된다. 어떤 사람들은 그가 19세기에 러시아로 이주했던 프랑스 출신 향수 제조업자의 아들이라고 말한다. 하지만 1936년 인터뷰에서 자신은 프랑스 리비에라 해안의 그라스에서 태어나 성장했고, 그곳에서 조향사로서 훈련을 받았으며, 1908년 모스크바로 와서 랄레 회사에 입사했다고 주장했다. 그가 그곳에서 브로카르 회사에 의해 스카우트됐던 것은 분명하다.[28] 에르네스트 보와 오귀스트 미셸이 서로 알고 있었을 가능성과 미셸이 보가 합성한 향수를 알고 있었을 가능성이 크다. 우리는 이 두 조향사가 랄레 회사의 향수 장인(匠人)인 알렉상드르 르메르시에의 제자였고, 엄청난 성공을 거둔 '켈크 플뢰르'(1912년)를 합성할 때 알데히드(C-12 MNA-결합)를 사용했던 우비강의 조향사인 로베르 바아네메의 혁신적인 작업에서 이득을 얻었음을 확신한다. 랄레 회사에서 브로카르 회사로 옮겨갔던 오귀스트 미셸은 그 때문에 부케 드 나폴레옹의 제조 방식을 알았고, 이 제조 방식은 예카테리나 2세가 애용하

---

28 잡지 Technika i molodež 1936/8, 29쪽은 그가 처음 도착한 때는 1908년이었다고 말한다; Marina Koleva: Sovetskij stil', 80쪽; Dolgopolova: Parfjumerija v SSSR, I, 125쪽.

던 향수를 창작하는 출발점이 됐다. 나탈리아 돌고폴로바에 따르면 이러한 사실은 1912-1913년에 3천 킬로미터나 떨어진 프랑스와 러시아의 서로 다른 공장에서 동일하거나 유사한 향수들이 서로 다른 이름으로 만들어졌다는 것을 의미한다. 랄레 회사에서 일했던 에르네스트 보는 부케 드 나폴레옹과 예카테리나 2세가 애용하던 향수를 갖고 프랑스로 가서 거기서 샤넬 넘버 파이브를 만들어 냈다. 오귀스트 미셸은 랄레와 브로카르에서 출발해 1917년 국유화된 공장 브로카르인 노바야 자랴에 이르는 길을 걸었다.[29]

여하튼 크라스나야 모스크바는 세상에 나와 소련의 가장 유명한 향수가 됐고, 소련의 종말과 향수 산업의 민영화로 인한 일시적 중단 이후 성공한 리메이크로 러시아 시장에 돌아왔다. 이제3 세대 크라스나야 모스크바의 향기는 오리지날 향기와는 거리가 멀지도 모른다. 원래의 향기를 경험하기 위해서는, 즉 실제로 그 향기를 맡기 위해서는 원래의 제조 방식과 원래의 재료를 사용해야 했을 것이다. 또 다른 가능성은 밀봉된, 잘 보존된 향수병을 찾아서 그 병마개를 여는 것이다. 제3의 가능성은 R. A. 프리드만과 같은 소비에트 전문가들에 의한 향수에 대한 묘사에 의지하는 것이다. "따뜻하고 부드러운, 심지어 어느 정도 뜨겁지만 친밀하고 여린 전형적인 여성 향수."[30]

---

29 다른 작가들은 '크라스나야 모스크바'가 '예카테리나 2세가 애용하던 향수'에서 직접 유래했다는 사실을 의심하지 않는 것처럼 보인다. Dolgopolova: Parfjumerija v SSSR, I, 126쪽.

30 Dolgopolova: Parfjumerija v SSSR, I, 130쪽.

지식이 안전하게 전수되고 연속성이 유지됐던 것처럼 보인다면, 그것은 1930년대 인터뷰에서 밝혀지듯이 오귀스트 미셸이 이 연속성을 이어간 사람이었다는 우연의 일치 덕분이었다. 모스크바에서 혁명과 내전의 혼란을 체험했던 미셸은 내전이 끝날 무렵 모스크바에 거주했던 프랑스인 공동체를 따라서 고향인 프랑스로 돌아가려 했다. 하지만 비자를 신청하기 위해 모스크바 중심지에 있는 관청에 제출했던 여권을 돌려받지 못했다. 서류 없이 그는 체류 허가를 받았고, 그래서 모스크바에 머무르는 사이에 국유화된 브로카르 회사에서 다시 일하게 됐다. 이러한 상황은 1924년 프랑스와 소련의 외교 관계가 회복될 때까지 지속됐다. 그때 미셸은 드디어 여권을 돌려받았지만 결국 소비에트 러시아에 남기로 했다. 아마 다시 일을 할 수 있게 되었고, 러시아에서의 삶을 좋아했기 때문일 것이다. 여하튼 미셸이 혁명 이후 러시아 향수 산업의 재건에 중요한 역할을 했다는 사실은 의심할 수 없는 것처럼 보인다.

혁명 이전에 사실상 외국(주로 프랑스) 회사들에 의해 형성됐던, 거대한 러시아–유라시아 시장을 차지하기 위해 치열하게 경쟁했던 고도로 발달한 러시아 향수 산업은 국유화되었다. 이제 산업이 국유화된 이후 우선순위는 근본적으로 바뀌었다. 대량 생산을 통해 일상에서 필요한 위생용품과 화장품을 일반 대중에게 공급하는 것이 중요했다. 외국인 전문가들은 떠났다. 필수적인 원료의 수출입 공급망은 끊겼고, 향수 업종 전체는 개편되어야 했으며 새로운 토대 위에 서야 했다.

비누 산업과 향수 산업 공장들은 처음에는 '첸트로치르'라는 이름의 국가 경제 최고 회의의 '지방(脂肪) 산업 중앙위원회'로, 1921년부터는 '치르코스트'라는 이름의 트러스트(trust)로 통합 됐다. 1920년대 초기에 신경제정책이 시작됐을 때, 그런 트러스 트가 약 470개 있었다. 특히 옛날 브로카르와 랄레 기업을 포함 한 모든 중요한 화장품 기업들이 이 트러스트들로 통합됐다. 트 러스트들은 향수, 비누, 오드콜로뉴, 파우더, 치약을 생산했고 이 제품들 모두에 새로운 이름이 부여됐다. 여러 번 재편성된 트

러스트는 소비에트 역사에 프랑스어처럼 들리는 '테제'라는 이름으로 기록됐다. '테제'는 지방과 뼈 가공 산업 국영 트러스트의 약자이다. '테제'는 브랜드 이름이 됐고 1920년대와 1930년대 소비에트 화장품 라벨이 됐다. 1926년과 1927년에는 6,120명의 노동자와 652명의 종업원이 일하는 11개의 공장이 '테제'에 속했다. 향수는 생산품의 적은 일부만을 차지했다.[31] '테제'는 프랑스어처럼 들리는 이름 때문에 랄레, 코티, 겔랑, 우비강 등과 같은 혁명 이전 시기부터 당시까지도 유명한 프랑스 브랜드들과 의미론적으로 경쟁했다. '테제'는 사치스럽게 치장한 부티크를 소비에트 대도시들과 외국인들이 자주 찾는 호텔에서 운영했다. 화학 실험실, 유리 가공 공장과 소매 판매점을 포함한 향수 생산에 필요한 모든 작업 분야가 '테제'에 속했다. 생산품의 범위와 가짓수에서 소비에트 화장품과 향수 트러스트는 이러한 종류 가운데 세계 최대 트러스트가 됐다.

'테제'는 수년 동안의 전쟁과 내전을 겪은 이후 향기의 귀환을 상징했다. 하지만 '테제'는 수요와 공급의 법칙과 브랜드들의 '무질서에 가까운 경쟁'을 따르지 않고 경제 계획을 따랐던 국가 기업의 일부분이 된 향수 제조 공장 때문에 완전히 새로운 길에 들어서게 됐다는 사실을 은폐하기도 했다. 향수의 생산은 이제 '중요한 행위이며 국가의 행위'(헤겔)가 됐다. 좋아하는 향기와 화장품, 향수와 라벨을 결정하는 일은 식료품 산업과 경공업을 책임

---

31 Dolgopolova: Parfjumerija v SSSR, I, 66쪽, 67쪽 이하.

진 인민위원회의 의사 일정에 들어갔다. 향기의 제국에서도 이제 '정치의 우위'가 지배했다.

한때 '부케 드 나폴레옹' 혹은 '부케 드 카타리나' 라고 불렸던 향수의 냄새는 자신들의 길에서 혁명적이었던 이 서로 다른 두 향수의 출발점이었다. 이 두 향수의 냄새는 (거의) 똑같았지만, 향후 몇 년 (그리고 몇십 년) 동안 서로 다른 두 개의 길을 택해 근대에 들어설 것이다. 동시에 향수병의 디자인과 외관에서 표현된 패러다임의 전환이 일어날 것이다. 한 경우는 장난기와 과도한 장식에 대한 싫증 때문에, 다른 경우는 단순히 필요성 때문에 모든 것이 단순한 쪽으로 움직인다. 하지만 향수병의 형태는 기하학, 기능주의 그리고 절대주의의 일부분을 지니고 있다. 브로

보로디노 전투
100주년을 기념하기
위해 만든 부케 나폴레옹

카르 향수의 라벨 디자이너는 니콜라이 스트룬니코프라는 이름의 예술가였을 것이다. 그리고 예카테리나 2세가 애용하던 향수의 포장과 나중에 '크라스나야 모스크바'(레드 모스크바)로 이름을 바꾼 향수의 병은 안드레이 예브제예프에 의해 디자인됐다. 부당하게 잊힌 또 한 명의 예술가는 마찬가지로 이전에 브로카르를 위해 일했던 블라디미르 로신스키였다. 그는 혁명 전에 브로카르(1864-1914) 회사 창립 50주년을 기념하는 멋진 책을 디자인했다. 이 책에서는 회사의 역사가 당시 세상을 깜짝 놀라게 하는 컬러 만화의 형태로 이야기된다. '테제'는 혁명 이전의 디자인을 다양하게 채택했다.[32] 약 1921년부터 1928년까지 신경제정책의 시기에 옛 디자인들은 약간 현대화된 형태로 변해 살아남지만, 상품들의 이름은 바뀐다. 한 포스터는 달콤하게 들리는 '백조의 솜털'이라는 이름의 루즈 파우더를 광고한다. 반면 다른 포스터는 프롤레타리아 국제경기인 스파르타키아다를 연상시키는 '스파르타키아드'라는 이름의 물건을 광고한다. 새로운 디자인과 옛 디자인이 공존한 것이다. 이것은 과도기와 양두 정치 아래에 있는 사회에서 흔히 발견되는 상황이다. 하지만 이러한 과도기는 향기의 세계에서 충돌할 것이며, 그러한 향기를 창조한 사람들을 손대지 않고 가만히 두지는 않을 것이다.

---

32 '테제'에 대해서는 Venjamin Kozarinov: Russkaja parfjumerija. Illjustrirovan-naja istor ija, Moskva 2005, 122, 123쪽 그리고 Jukka Gronow: Caviar with Champagne. Comm on Luxury and the Ideals of the Good Life in Stalin's Russia, Oxford/New York 2003.을 참조하시오.

냄새의 풍경
프루스트의 마들렌과 역사 기록

한 방울의 향수가 20세기 역사 전체를 포괄할 수 있다. 가브리엘 코코 샤넬이 조향사 에르네스트 보가 만든 향수 중에서 하나를 선택하기 위해 향수 세계의 수도인 리비에라 해안의 그라스에서—1920년 가을과 1921년 봄 사이에—그를 만났을 때, 그녀는 샤넬 넘버 파이브라는 브랜드로 세계적으로 유명해질 향수의 제조법이 이미 모스크바에서도 알려져 있었다는 사실을 알 수 없었다.[01]

샤넬 넘버 파이브와 레드 모스크바는 서로 다른 세계에 속하지만, 벨 에포크와의 작별과 향수 세계의 혁명을 상징한다. 비록 이 두 향수가 몰락할 운명인 왕조 덕분에 만들어졌지만 말이다. 우리는 샤넬 넘버 파이브의 성공에 대해 많은 것을 알고 있지만, 레드 모스크바의 중요성에 대해서는 아는 것이 거의 없다. 샤넬

---

01 향수의 생산과 출시(1925/1927)에 대한 조금 다른 날짜 표시는 내 책 Das sowjetische Jahrhundert. Archälogie einer untergegangenen Welt, München 2017, 250-263쪽에 있다.

넘버 파이브는 뉴욕 현대미술관에 명예의 장소를 가지고 있지만, 레드 모스크바 향수병은 소비에트 말기와 특히 체제의 종말 이후에 비로소 벼룩시장과 골동품 상점에서 빈티지를 수집하는 사람들에게 욕망의 대상이 됐다.[02] '자기 전에 샤넬 넘버 파이브 두서너 방울을 뿌린다'는 마릴린 먼로의 고백은 광고 문구로 알려졌지만 보편적인 문화유산으로 발전했다.

앙드레 말로는 20세기 프랑스의 국제적 이미지가 세 명의 인물에 의해 형성됐다고 믿었다. 그 세 명의 인물은 피카소, 샤넬 그리고 드골이다. 조지 버나드 쇼는 코코 샤넬과 마리 퀴리를 20세기 가장 중요한 여성으로 보았다.[03]

반면 폴리나 젬추지나 몰로토바에 대해 우리가 아는 것은 거의 없다. 우리는 그녀를 그녀의 남편 뱌체슬라프 몰로토프와 연결한다. 몰로토프는 1939년 8월 23일에 체결한 독소 불가침조약 혹은 적어도 몰로토프 칵테일(그가 이 용어에 대해 저작권을 요구할 수 없었지만)과 관련이 있다.[04] 이 두 여성의 이야기는 서로 다르게 진행되지만 서로 연결되고, 다른 어느 시대 즉 '극단의 시대'(에릭 홉스봄[05])와 그 뒤를 이었던 오랜 세계 분열의 시기보다

02 현대미술관에서의 샤넬 넘버 파이브 향수병 전시회에 대해서는 The Package, New York 1959을 참조하시오.

03 Arthur Gold/Robert Fizdale: Misia. Muse. Mäzenin. Modell. Das ungewöhnliche Leben der Misia Sert, Bern/München 1981, 259쪽.

04 '다양한 현대성'에 대해서는 Michael David-Fox: Crossing Borders. Modernity, Ideology, and Culture in Russian and the Soviet Union, Pittsburg 2015. 문명의 정점에 이르는 다양한 길에 대한 레닌의 인용문은 W. I. Lenin: Über unsere Revolution, Ausgewählte Werke, Bd. III, Berlin 1966, S. 867-870.

05 1917-2012. 영국의 마르크스주의 역사가다. 영국 공산당 당원이자 공산당 역사가 그

깊이 분열됐던 시대의 내적 연관성을 얼마간 이해하는 데 도움이 된다. 이 두 여성의 이야기를 하는 것은 서로에 대해 거의 몰랐거나 아니면 서로 전혀 알아채지 못했던 이야기 속 주인공들이 보인 유사한 행동의 이야기를 하는 것이다. 21세기에 낡아 버린 세계 질서의 틀이 흔들리고 신음 소리를 내는 가운데 향수, 냄새 그리고 사치에 과도한 주의를 쏟는 것이 부적절한 것처럼 보일지라도, 두 여성의 이야기는 추적할 만한 가치가 있다.[06] 하지만 세계가 둘로 분열된 시대가 끝난 이제는 향수의 역사를 이야기할 수 있을 것이다. 향수의 역사를 이야기함으로써, 우리는 20세기에 일어났던 사건에 대한 열쇠를 얻지는 못하지만 적어도 그 시대에 일어났던 사건을 더 잘 이해하게 된다. 사실 아마 한 방울의 물에 반영된 거대한 세계가 한 방울의 향수에서 발견될 수도 있을 것이다. 세기를 위해 만들어졌던 향수 한 방울은 세기의 향기 비슷한 것을 드러낸다.

우리 시대는 역사학자들이 냄새와 향수의 세계에 보이는 학문적 관심을 설명하거나 심지어 정당화하기 위해 '후각의 전환'을 필요로 하지 않는 시대이다. 알랭 코르뱅의 『악취와 향기』와 같은 선구적 작품들은 세계를 냄새의 세계로 해석했고 냄새의 역사를 생활 세계를 역사적으로 이해하는 데 필수적인 것으로

롭의 회원이다. 런던 대학교 버크백 칼리지의 학장을 지내기도 했다. 많은 근현대사 책을 저술했지만, 가장 널리 알려진 것은 4권으로 구성된 홉스봄의 시대 시리즈(『혁명의 시대』, 『자본의 시대』, 『제국의 시대』, 『극단의 시대』가 있다. (옮긴이 주)

06 팔레 드 도쿄에서 열린 전시회도 샤넬 향수의 역사를 서양 중심의 관점을 취한다. 디아길레프와 스트라빈스키에 대한 언급들은 도외시된다.

여겼으며, 역사 기록을 위해 후각이 자신의 권리를 찾도록 도와줬다. 파트리크 쥐스킨트의 소설 『향수』는 탁월하게 구성된 범죄소설일 뿐 아니라 후각의 중요성에 대한 의식을 회복시켰으며 향료의 역사, 향수 생산과 향수의 효과에 마땅히 돌아가야 할 관심을 환기했다.[07] 그 이후 역사의 세계를 인식하기 위해서는 시청각적인 것에 자연발생적으로 부여된 특권을 지닌 눈과 귀가 '중요할' 뿐 아니라 다른 감각들—후각, 촉각, 미각—도 역할을 한다는 사실이 분명해졌을 것이다.[08] 파트리크 쥐스킨트와 알랭 코르뱅의 책이 1980년대에 출판됐지만, 후각이 역사 기록에서 효력을 발휘하는 것은 유감스럽게도 서서히 이루어졌다. 후각은 감각의 계급에서 맨 밑이다. 후각은 비의식적인 것, 무의식적인 것, 비합리적인 것, 비이성적인 것, 억제할 수 없는 것, 진부한 것, 위험한 것 등을 상징한다. 계몽주의는 후각을 추방했다. "오늘날의 역사는 냄새가 제거되어 있다."(로이 포터) 시각은 "모든 감각 중에서 가장 이성적인 감각"으로 여겨진다. "후각은 자연과학의 세계에서 '비본질적인' 것이 됐지만, 인문과학과 사회과학에서 새로운 설명이 필요한 영역에 이르는 입구를 여는 데 잠재력을 나타내기 시작했다. 여하튼 후각은 영감을 주는 능력을 보여 주었다." 가볍게 말하면, 우리는 조금 더 역사의 주변을 "코를

---

07 선구적인 작품은 Alain Corbin: Pesthauch und Blütenduft ('Le miasme et la jonquille', 1982), Berlin 2005; Patrick Süskind: Das Parfum, Zürich 1985.

08 Constance Classen/David Howes/Anthony Synnott: Aroma. The Cultural History of Smell, London/New York 1994; 냄새의 사회학에 대해서는 Jürgen Raab: Soziologie des Geruchs: Über die soziale Konstruktion olfaktorischer Wahrnehmung, Konstanz 2001을 참조하시오.

킁킁거리며 다닐" 필요가 있다.[09]

이미 서양의 지적 사고 가운데 상당한 부분에서, 우리는 후각이 배제됐지만, '이성적' 감각의 패권에 대해 끈질기게 반항했던 것도 발견한다. 헤겔은 '비저항적인 분위기에서 냄새의 확산'에 비유한 '순수한 통찰력'의 확산에 대해 무력감을 느낀다. "순수한 통찰력의 전달을 비저항적인 분위기에서 향수의 조용한 확장 혹은 확산에 비유할 수 있는 것은 이 때문이다. 순수한 통찰력의 전달은 교묘히 침투한 아무래도 좋은 요소에 대항하는 요소로, 자신의 정체를 드러내지 않아서 물리칠 수 없는 침투하는 전염병이다."[10]

칸트는 자신의 인간학에서 후각을 가장 '불필요한' 감각으로 분류하고, 악취에 향기와 대조를 이루는 배경의 역할을 부여한다. 그렇게 함으로써만 후각은 감각을 만들어 낸다고 칸트는 주장한다. "어떤 기관 감각이 가장 감사할 줄 모르고 따라서 가장 불필요한 것처럼 보이는가? 그것은 후각이다. 즐기기 위해서 후각을 연마하거나 세련되게 할 필요가 없다. 왜냐하면 즐거운 대

09 Jonathan Reinarz: Past Scents. Historical Perspectives on Smell, Urbana/Chicago/Springfield 2014, 209, 216, 217, 218쪽. Die russische Forschung in dem Sammelband: O. B. Vajnštejn: Aromaty i zapachi v kuľture. Kniga I, 2, Moskva 2010; Oľga Vajnštejn: Dendi. Moda. Literatura. Stiľ žizni, Moskva 2006; I. A. Mankevič: Povsednevnyj Puškin. Poetika obyknovennogo v žiznetvorčestve russkogo genija. Kostjum. Zastoľe. Aromaty i zapachi, Sankt-Peterburg 2013; Oľga Kušlina: Ot slova k zapachu: russkaja literatura. Pročitannaja nosom, in: NLO No. 43(2000), 102–110쪽; Marija Pirogovskaja: Miazmy, simptomy, uliki: Zapachi meždu medicinoj i moraľju v russkoj kuľture vtoroj poloviny XIV veka, Sankt-Peterburg 2018.

10 Georg Wilhelm Friedrich Hegel: Phänomenologie dea Geistes, Werke 3, Frankfurt/Main 1970, 402쪽 이하.

상들보다 역겨운 대상들(특히 붐비는 장소에서)이 더 많기 때문이다. 후각이 즐겁게 해 준다고 할 때도 후각을 통해 얻는 즐거움은 순식간이고 일시적이다. 하지만 행복의 부정적 조건인 유해한 공기(오븐의 증기, 늪과 짐승의 썩은 시체에서 나는 악취)를 들이마시지 않거나 부패한 것을 음식물로 사용하지 않기 위해서 후각이 중요하지 않은 것은 아니다."[11] 반면 니체는 자신에 대해 말한다. "나의 천재성은 내 콧구멍 안에 있다."[12] 그리고 말한다. "말해다오. 나의 짐승들이여! 이 차원 높은 인간들 모두가 좋지 않은 냄새를 풍기고 있는 건 아닌지, 아, 나를 둘러싼 맑은 향기여! 이제야 나는 알고 느낀다. 나의 짐승들이여, 내가 그대들을 얼마나 사랑하는지를."[13] 러시아 조향사인 콘스탄틴 베리긴은 아르투르 쇼펜하우어를 상기한다. 쇼펜하우어는 후각을 기억의 기본적인 감각으로 지칭한다. "사건들과 연결된 냄새만큼, 오래전에 일어난 사건들에 대한 인상을 우리 마음에 직접적이고 정확하게 떠오르게 하는 것은 없기 때문이다."[14] 20세기의 가장 인정사정 없는 관찰자인 조지 오웰은 냄새로 정확하게 계급을 구별한다.

---

11 Immanuel Kant: Anthropologie in pragmatischer Absicht, in: Schriften zur Anthropologie, Geschichtsphiosophie, Politik und Pädagogik. Hg. von Wilhelm Weischedel, Werkausgabe XII, Frankfurt-Main 1980, 453쪽.

12 Friedrich Nietzsche: Ecce homo, in: Werke in drei Bänden, hg. von Karl Schlechta, Bd. 2, München 1966, 1152쪽.

13 Friedrich Nietzsche: Also sprach Zarathustra, in: Werke in drei Bänden, hg. von Karl Schlechta, Bd. 2, München 1966, 532쪽.

14 Konstantin M. Verigin: Blagouchannost'. Vospominaanija parfjumera, Moskva 1996; https://www. e-reading. club/book. php?book=1016413(2019. 3. 15.) 그리고 Arthur Schopenhauer: Die Welt als Wille und Vorstellung, Wiesbaden 1972, 32쪽.

"하층 계급은 냄새가 난다. (…) 그 어떤 호불호의 느낌도 신체적 느낌만큼 근본적인 것은 없다."[15]

우리는 눈으로만 인식하지 않는다. 우리의 인식은 이미지들로만 구성되지 않는다. 그리고 우리의 기억은 구상적이며 상징적인 기호들에만 집착하지 않는다. '소음의 시대'가 존재하고 모든 시대가 고유의 소리를 가진 것처럼, 모든 시대는 고유한 냄새의 세계를 갖고 있다. 철의 장막과 베를린 장벽의 그늘에서 성장한 세대와 서베를린과 동베를린 사이의 베를린-프리드리히 거리 혹은 옛 독일-체코슬로바키아 국경선의 헤프/에게르와 같은 국경 통과 지점에서 '통과의례'를 치렀던 세대는 영원히 그 국경선을 후각의 국경선으로 기억할 것이다. 오랜 세월 지속된 계몽주의가 지난 후에도, 구체적이며 부정적 의미를 지닌 냄새와 거리를 둔 후에도, 세계에서 계속해서 냄새가 제거되고 난 후에도, 우리는 냄새의 세계 바깥으로 내던져질 수 없다. 우리는 눈으로만 아니라 코로도 세계를 인식한다. 계절의 리듬은 빛과 어둠의 음영에서만 아니라 냄새의 음영에서도 나타난다. 즉 눈이 올 듯한 대기, 상쾌한 봄바람, 도시와 들판을 짓누르는 여름 더위 그리고 단풍이 썩은 냄새에서 나타난다. 우리는 매일 냄새에 의해 표시된 구역을 횡단한다. 그 냄새는 테이크아웃 종이컵에 든 커피에서 피어오르는 김, 감자튀김 노점과 케밥 노점의 기름 냄새, 지하철에서 에스컬레이터에서 내렸을 때 어떤 식으로든지 리드

---

15 George Orwell: The Road to Wigan Pier, Classen/Howes/Synnott: Aroma, 8쪽에서 인용.

47

미컬한 소음을 생각나게 하는 기름과 타르의 역한 냄새 등이다. 우리는 도중에 버스를 탄다. 버스 안에서 계절과 기온에 좌우되는, 서로 바짝 눌린 몸에서 나오는 땀 냄새는 우리가 매일 덮는, 냄새가 제거된 이불보다 더 고약하다. 우리는 주유소에서 자극적이며 과일 향에 가까운 휘발유 냄새를 맡고, 백화점과 슈퍼마켓의 온갖 냄새를 맡는다. 백화점과 슈퍼마켓에서는 끝없이 다양한 물건에서 풍기는 냄새가 서로 맞물리면서 묘사하기 어려운 냄새의 섞어찌개가 된다.

일상의 냄새가 조금이라도 방해받는 것은—예를 들면, 방치된 쓰레기—짜증과 불쾌감을 불러일으킨다. 우리는 악취를 참기 위해서 노력해야만 한다. 우리는 친밀함의 횡포 때문에 고통받을 뿐 아니라, 그 친밀함에 의해 생산된 냄새의 세계 때문에도 고통받는다. 냄새의 세계가 우리에게 접근하는 것은 달갑지 않은 일이다. 진보는 악취를 얼마나 억제하느냐로 측정된다. 우리가 기분 좋다고 혹은 불쾌하다고 여기는 것은 헤겔과 마르크스가 서술했던 주인-노예 관계의 양상으로, 중심과 주변, 위와 아래, 아주 비좁은 공간에서 공동생활을 하는 사람들, 서양과 유럽 바깥 세계 사이의 투쟁이다. 수세식 화장실의 보급은 의회 질서의 확립만큼 문명의 보급을 판단하는 믿을 만한 지표이다. 적어도 서머싯 몸에 따르면 그렇다.[16] 산업 시대의 진보의 냄새 즉 연기를 내뿜는 공장의 높은 굴뚝의 냄새에 산업화 이후의 디지털 경

---

16 Somerset Maugham, Classen/Howes/Synnott: Aroma, 8쪽에서 인용.

제가 뒤따른다. 심지어 즐거운 식사를 보장하기 위해서 레스토랑에 금연구역을 만들기도 한다. 정치적 선동의 언어에서 '앙시앵 레짐(Ancien Régime)'이 '역사의 쓰레기 더미' 위에 착륙한다. 새로운 시대가 낙원의 향기와 함께 낙원처럼 도래한다.

문학은 향기로 가득하다. 즉 꽃향기, '조국의 연기'(이반 투르게네프), 소련 벨로모르카날 담배의 얼얼한 냄새 등으로 가득하다. 20세기의 재앙은 종말론적 풍경뿐 아니라 가스실의 가스, 화장터에서 피어오르는 연기의 악취, 멀쩡한 사람들을 썩게 방치한 강제수용소의 악취를 포함한다. 냄새와 향기는 고유의 생산 시간과 고유의 소멸 시간이 있다. 정권이 붕괴하고 이데올로기가 사라져도 냄새는 오랫동안 남는다. 그리고 그 반대도 마찬가지이다. 향기의 주기는 선거 시기와 일치하지 않는다. 향기는 자신의 시간을 갖는다. 향기는 혁명보다 더 오래 존속할 수 있다.

한 담배 브랜드가 광고했듯이 '크고 넓은 세계의 향기'는 언젠가 팬 아메리칸 항공사에 의해 열린 지평선과 연결된 적이 있다. 세대들을 나누는 기호(嗜好)의 변화는 향수 브랜드에서 알아낼 수 있다. 전쟁은 싸움터의 함성뿐 아니라, 화약 연기, 타는 냄새와 시체 냄새를 만들어 낸다. 번개와 천둥이 동반된 뇌우가 쏟아지고 난 뒤에는 공기가 신선하고 깨끗하다. 우리는 시간과 공간을 언급하지 않고서는 현재나 과거의 평범한 현실을 묘사할 수 없지만, 기호와 냄새를 언급하지 않고서도 현재 혹은 과거의 지극히 평범한 현실을 묘사할 수 없다. 우리는 감각(시각, 청각, 촉각, 후각, 미각) 중에서 어떤 감각이 우선권이 있는지를 두고 논쟁할 필요는 없다. 이미지들만 우리의 기억에 인상을 남기는 게 아니라 냄새도 우리의 기억을 장악한다. 장면 전체를 우리의 마음속에서 다시 활기 넘치게 하기 위해서는 바람 한 점, 향기 한 줌만 있으면 된다. 즉 쪽마루 바닥판의 왁스 냄새, 학교의 계단이 있는 공간, 문방구의 향기, 김나지움의 체육관, 성스러운 미사를 드리는 동안 향로에서 피어오르는 향, 자동차—그 자동차가 동독의 트라반트든 서독의 포드든 상관없다—의 휘발유 냄새 등이다.

시대의 향기는 삶의 모든 영역에 달라붙는다. 과거를 재구성할 때 이러한 사실을 고려하는 것이 잘못일 수는 없다. 이러한 과정의 '근원이 되는 장면'은 마르셀 프루스트의 『잃어버린 시간을 찾아서』에 나오는 마들렌 에피소드이다. 이 작품에서 홍차 한 잔에 적신 과자 조각이 입천장에 닿자마자 화자는 '충격적인 행복의 상태'를 경험한다. 프루스트가 미각에 대해 묘사한 것은 아마 후각에도 적용될 수 있을 것이다. "그런데 과자 조각이 섞인 홍차 한 모금이 내 입천장에 닿는 순간, 나는 깜짝 놀라 내 몸속에서 뭔가 특별한 일이 일어나고 있다는 사실에 주목했다. 이유를 알 수 없는 어떤 감미로운 기쁨이 나를 사로잡으며 고립시켰다." 이어서 미각에 의해 촉발됐던 것에 대한 성찰이 작품의 몇쪽을 채운다. 논리적인 결론은 없다. '행복의 증거'만 있다. "분명히 내 마음 깊은 곳에서 팔딱거리는 것은 그 맛과 연결되어 맛의 뒤를 따라 내게까지 올라오려고 애쓰는 이미지, 시각적인 추억임에 틀림없다. 그러나 그것은 너무도 멀리서 너무나 희미하게 몸부림치고 있어, 내가 알아볼 수 있는 것은 기껏해야 휘저어 놓은 색채들의 포착할 수 없는 소용돌이가 뒤섞인, 어렴풋한 그림자일 뿐이다. 그러나 형태를 분간할 수 없는 나는 그 그림자를 향해, 마치 유일한 번역가에게라도 말하듯이, 그것과 동시에 태어나 그것과 떨어질 수 없는 동반자인 미각이 들려주는 증언을 번역해 달라고 부탁할 수도 없으며, 그것이 내 지나간 과거의 어떤 특별한 상황이나 어떤 시기와 관련 있는지 알려 달라고 요청할 수도 없다." "그러다 갑자기 추억이 떠올랐다." 구체적인 장소, 구체적인 날, 구체적인 장면이 기억에 떠오른다. "그러나 아주 오랜 과거로부터 아무것도 남아 있지 않을 때도, 존재의 죽음과 사물의 파괴 후에도, 연약하지만 한층 생생하고, 비물질적이지만 더 집요하고 더욱 충실한 냄새와 맛은, 오랫동안 영혼처럼 살아남아 다른 모든 것의 폐허 위에서 회상하고 기다리고 희망하며, 거의 만질 수 없는 미세한 물방울 위에서 추억의 거대한 건축물을 꿋꿋이 떠받치고 있다." 모든 것이 돌아온다. 수련과 마을 사람들이, 그들의 작은 집들과 성당이, 온 콩브레와 근방이. "이 모든 것이 형태와 견고함을 갖추며 내 찻잔에서 솟아 나왔다."[17]

만약 이것이 사실이라면, 향수의 역사와 사치품 산업의 역사는 단지 사회 현실의 부분 영역만이 아니다. 한 방울의 향수는 향기에 붙잡힌 시간이다. 향수병은 시간의 향기를 담은 그릇이다. 현재 소련이 해체된 이후의 러시아에서도 관찰할 수 있는 향

---

17 Marcel Proust: Auf der Suche nach der verlorenen Zeit, Bd. I, Unterwegs zu Swann, Frankfurt/Main 1994, 68-71쪽.

수병에 대한 강한 흥미는 단순한 '기벽' 이상이다. 그것은 일종의 '잃어버린 시간을 찾아서'이기도 하다. 소련 해체 이후의 프루스트는 어쩌면 이미 돌아다니고 있을지도 모른다.

과거의 냄새의 풍경을 생생하게 묘사할 때 나타나는 어려움은 분명하다. 눈은 묘사되고, 기록되고, 복사됐던 이미지들에 집중할 수 있다. 그 이미지들은 대단히 풍부하고 분화된, 다면적인 시각적 세계이다. 귀는 악보, 도시의 소음의 기록, 대규모 행진을 하기 전에 울려 퍼지는 팡파르 취주, 인터뷰에서 나오는 목소리 혹은 중요한 행사에 하는 축사에 접근할 수 있다. 소리의 풍경과 소음의 풍경은 기록되고, 소환되고, 읽히고, 복사될 수 있다. 종소리든 확성기든 상관없다. 도구들은 다시 만들어질 수 있다.

현재 우리가 아주 정교한 생화학적 분석을 이용할 수 있음에도 불구하고, 과연 우리는 냄새를 신뢰할 수 있는, '상호주관적으로 재검토할 수 있는', '객관적인' 정보의 출처로 여기고 있는 걸까? 물질은 냄새를 갖고 있다. 꽃은 향기를 갖고 있다. 화학의 시대에 향기는 만들어질 수 있고 원하는 대로 재생산될 수 있다. 하지만 향기는 영원히 지속되지 않는다. 영원히 저장되고 다시 소환될 수 있는 향기의 아카이브는 존재하지 않는다. 향기는 사라진다. 향기는 묘사된다. 하지만 풍성한 언어가 있음에도 불구하고, 향기를 묘사한다고 해서 향기의 미묘한 차이는 후각을 통해서, 심지어 전문 교육을 받은 전문가의 후각을 통해서도 인식될 수 없다. '음의 높이', 미묘한 차이, 목소리 그리고 향기의 영역을 향기의 오르간과 향기의 악보 안에 고정시키고 객관화하고

'읽을 수 있게' 만들려는 시도들은 문외한에게는 접근 수단과 보조 수단에 지나지 않는다.

우리가 향수의 역사에서 향수를 담은 용기에, 즉 휘발성 기름과 진액의 마지막 미량 원소가 사라진 후에도 여전히 존재하는 향수병에 집착하는 것은 우연이 아니다. 향수병은 합성물인 향수와 일치하는 형식이다. 향수병은 향수와 동의어로 상징이 된다. 따라서 향수병이 있는 곳에서는 어디든지—골동품 가게에서, 빈티지/공동체의 수많은 웹사이트에서, 인터넷 경매 사이트 '이베이'의 카탈로그에서—향수의 고고학자를 만날 수 있다. 파리, 베르사유, 그라스, 바르셀로나, 쾰른, 페테르부르크와 모스크바를 포함한 많은 도시에는 이미 향수 박물관이 있다. 수집가들이 다락에서 기어 다니면서 아주 큰 어려움에도 불구하고 할머니들이 소중하게 간직한 값비싼 외국 향수를 담은 용기를, 즉 지난 시대의 표류물을 발견한다면 훨씬 더 많은 향수가 세상에 알려질 것이다. 향기 세계의 전시회들과 아카이브들 가운데서 한 냄새 박물관이 특별한 지위를 차지할 것이다. 이 박물관에서 용기들을 볼 수 있는데, 이 용기들 속에는 동독의 비밀경찰 슈타지가 반체제 인사들에게서 채취한 냄새 샘플이 보관되어 있다. 슈타지는 반체제 인사들의 냄새를 식별할 수 있도록 냄새 탐지견을 교육하고 훈련했다.

현재의 이 책은 마음대로 이용할 수 있는 냄새 실험실도 없고, 조향사로서 훈련을 받지 않은 한 역사가의 능력에 만족해야만 할 것이다. 그러나 그가 갖고 있는 것은 '시대의 소음'(오시프

만델시탐)뿐 아니라 '시대의 냄새'가 존재한다는 생각, 우리가 소리의 풍경뿐 아니라 냄새의 풍경 안에서 움직인다는 생각이다. 우리가 20세기와 작별하려 한다면, 모든 감각을 사용해서 작별해야만 할 것이다. 그때에 비로소 샤넬 넘버 파이브와 레드 모스크바의 흔적을 따라갈 수 있다. 우리는 이 두 향수의 공통의 출발점으로, 초기 단계로 되돌아갈 것이며 향수병의 라벨에 표시되지 않는 향수의 원작자들을 추적할 것이다. 그리하여 역사가 어떻게 갈라져 발전하는지를 보게 될 것이며 우리가 언제나 값비싼 진액이 든 작은 병 이상의 것을 다루고 있다는 것을, 즉 그 안에 농축된 세계를 다루고 있다는 것을 보게 될 것이다. 그리고 20세기가 진행되면서 이 향수 제조자들의 인생행로에 닥쳤던 것이 비대칭적이며 불공평했다는 것을 보게 될 것이다.

'제국주의 사슬에서
가장 약한 고리가 끊어질' 때(레닌):

향수의 세계와 후각 혁명

조향사 에르네스트 보와 오귀스트 미셸의 경력은 '세계화의 제
1세대'로 불리는 이 시대에는 특별하지 않았다. 코트다쥐르에 있
는 회사에서 상트페테르부르크 혹은 모스크바로 움직이는 것,
러시아 제국의 새로운 산업화 중심지에 공장을 건설하는 것, 차
르 제국의 급속하게 성장하는 도시들에 외국인 공동체가 출현
하는 것 등은 다른 방향으로, 서쪽으로 출발했던 교통의 흐름
만큼 더 이상 예외적인 것이 아니었다. 북유럽-급행열차 서비
스 덕분에 상트페테르부르크와 파리 사이를 오가는 것은 일상
적인 것이 됐다. 러시아산 버터가 서유럽으로 수송됐고, 신선한
딸기와 리비에라의 꽃이 러시아 황실의 환영 리셉션 용도로 북
쪽으로 보내졌다.

보와 미셸의 인생행로는 격변하는 세계의 징후가 된다. 러시
아 향수의 역사를 재발견한 향수병 수집가인 빅토르 로브코비치
는 1821년부터 1921년까지의 시기를 '러시아 향수 제조와 화장

품의 황금 시기'라고 불렀다.[01] 제1차 세계대전이 발발하기 직전에 러시아가 예술 영역에서뿐만 아니라, 향수와 화장품 생산 영역에서도 세계적인 강대국이었다는 증거는 상당히 많다. 여기서 무슨 일이 동시에 일어났을까? 결과적으로 이 중요한 두 도시에 러시아 상류층의 엄청난 부가 집중됐다. 1860년대의 대개혁으로 활기를 띠기 시작한 경제 부흥이 있었다. 이 경제 부흥은 러시아를 10년이 채 못 되어 트로츠키와 레닌마저 자극해서 부르주아의 혁명 에너지를 열광적으로 찬양하게 만들 만큼 급속도로 발전한 산업 강국이 되게 했다. 경제 부흥은 아직은 규모는 작지만, 비교적 부유하고, 그때까지는 사치품으로 여겨졌고 소수의 상류층만 구매할 수 있던 물품들을 구매할 수 있는 능력을 지닌 중산층의 출현을 가져왔다.[02] 지구에서 땅의 면적이 가장 넓은 나라(대영제국과 그 시기의 여러 식민지를 거느린 프랑스를 제외하고)에서 거대한 시장이 출현했다. 이 시장은 폴란드의 우쯔에서 블라디보스토크까지, 헬싱키에서 타슈켄트까지 그리고 그 너머 중국, 일본과 페르시아까지 뻗어 있다.

이 모든 것은 병과 병의 라벨에, 제국 전체에서 트레이드마크가 됐던 향수와 비누의 이름에 반영됐다. 또 향수 산업과 화장품 산업의 상품을 광고했고, 주로 비누, 파우더, 향수 등과 같은 생활필수품에 관심을 보였던 일반 대중에게 점점 더 확산했

01 Viktor Lobkovič: Zolotoj vek russkoj parfjumerii i kosmetiki 1821-1921, Minsk 2005.
02 블라디미르 일리치 레닌의 러시아 국내시장의 발전을 다룬 고전 작품 『1899년 러시아에서의 자본주의의 발전』과 레프 트로츠키의 책 『결과와 전망. 1906년 혁명의 원동력』을 참조하시오.

던 고급 소비라는 공통된 개념을 만들어 냈던 포스터에 반영됐다. 빅토르 로브코비치, 벤야민 코샤리노프와 나탈리아 돌고폴로바 등이 출판한 화보를 보면 그들이 디자이너들의 미학적 풍요로움, 다양한 색깔, 착상의 능력에 완전히 매혹된 것을 알 수 있다. 디자이너들을 차례로 보면 그들이 적극적으로 '실버 에이지'[03]의 미학 혁명에 참여했던 것을 알 수 있다. 러시아 아르누보의 거장들—미하일 브루벨, 이반 빌리빈, 콘스탄틴 소모프—의 작품들은 살롱과 갤러리에서 최근에 건립된 백화점, 호텔과 패션 부티크로 공급됐다.[04]

사실 향기와 향수 시장에서 러시아는 처음으로 프랑스 조향사들이 자신들의 흔적을 남겨야 했던 '백지'는 결코 아니었다. 다른 모든 나라처럼 러시아도 고유의 향기 문화와 향수 문화가 있었다. 러시아의 향기 문화와 향수 문화는 자연 세계, 동식물상, 긴 겨울, 폭풍이 몰아치듯 시작하는 몇 주의 봄, 하르츠 산맥의 공기를 듬뿍 머금은 숲의 공기, 흑해 해변 아열대의 정원 등과 같은 기후의 특수성에 의해 형성된다. 언제나 러시아에는 약초가 있는 수도원 정원과 실크로드를 통해 수입된 향료, 특히 동방 정교회에서 예배를 드리는 동안 그 연기가 둥근 지붕으로 피어 올랐던 향과 몰약이라는 고유의 전통이 있었다.[05] 러시아 회사

---

03 빅토르 로브코비치, 벤야민 코샤리노프 그리고 나탈리아 돌고폴로바의 작품들과 무엇보다도 인터넷에 올라온 담론은 이 주제에 대한 뜨거운 관심을 대표한다.

04 Russland 1900. Kunst und Kultur im Reich des letzten Zaren, hg. von Ralf Beil, Ausstellungskatalog, Institut Mathildenhöhe, Darmstadt 2008을 참조하시오.

05 수도원 정원에 대해서는 Dmitrij S. Lichačev: Poézija sadov, Moskva 1998을 참조하시오.

창업자들도 차르 러시아의 향수 산업과 화장품 산업의 개척자들이었다. 하지만 19세기에 국내 시장의 산업화와 발전의 시작은 새로운 것을 초래했다. 외국 기업가들은 러시아 제국에 정착해서 1900년 향수의 메카(파리)에서 열린 세계박람회에서 그랑프리를 수상할 회사들을 설립하기 시작했다. '브로카르' 회사와 '랄레' 회사가 그 예이다. 또 다른 예도 산더미처럼 많다.[06]

예를 들면 1832년에 프로이센 출신인 카를 이바노비치 페랑은 모스크바 중심 니콜스카야 거리에 있는 약국을 샀다. 100년 후에 그 약국은 독자적인 화학–제약학 실험실, 화학 공장, 약초 농장과 약제용 용기를 생산하는 공장을 갖춘, 그런 유형으로는 꽤 큰 사업체 가운데 하나가 되었다. 1896년에 이 약국은 니즈니 노브고로드에서 열린 전체 러시아 산업 전시회와 미술 전시회에서 금메달을 수상했다. 1914년에 이 약국은 1,000명 이상의 직원을 고용했고, 그 가운데는 약사 3명과 의학 훈련을 받은 직원이 100명 이상이었다. 제1차 세계대전 직전에 매일 발행된 처방전이 3,000개에 달했다. 혁명 이후에 이 약국은 소련 '약제청' 본부가 됐다.[07]

1862년 로만 로마노비치 쾰러(러시아어로는 켈레르)는 화학–제약 공장을 열었다. 그리고 방향유를 생산하기 위해 몇 개의 시설을 설립했고 이로써 값비싼 방향유의 가격을 낮췄다. 이 공장들은 국내 시장에서 외국 경쟁자들에게 대응하기 위해서 러시

06 Viktor Lobkovič: Zolotoj vek russkoj parfjumerii, 7쪽.

07 Viktor Lobkovič: Zolotoj vek russkoj parfjumerii, 8쪽.

아 직물 산업에 아주 중요한 탄닌을 생산했다. 1900년 무렵 쾰러 회사는 약국, 제과점, 향수 가게에서 사용되는 유리 용기를 생산하는 공장을 소유했다. 이 회사는 모스크바 근교에 산(酸), 방향유, 화장실 비누, 약용 비누, 일반 비누를 생산하기 위한 공장을 가동했다. 여기에 더해 중앙 러시아에서 극동에 이르는 중요한 모든 도시에 지점을 운영했다. '쾰러' 회사에서 만든 향수는 호화로운 포스터에 광고됐다. 이 회사의 상품들은 러시아에서뿐만 아니라 부하라, 페르시아, 중국에서도 유통했고, 다양한 약품 상자―가정용 약품 상자, 여행용 약품 상자, 마을용 약품 상자, 기차용 약품 상자―도 만들어 팔았다. 이 약품 상자는 아주 외진 시골에서도 발견됐다.

1843년 모스크바에 프랑스 사람 알퐁스 안토노비치 랄레가 주도해서 종업원 40명과 증기기관 한 대를 갖춘 최초의 향수 제조공장이 문을 열었다. 랄레는 원료를 프랑스에서 수입했고 외국의 전문가들을 고용했으며, 향수 산업에 필요한 방향유 작물을 최초로 재배했다. 이것은 당시 러시아에서 새로운 것이었다. 랄레가 만든 상품들은 프랑스, 독일, 터키 그리고 발칸 지역으로 수출됐다. 랄레는 러시아 황제 폐하, 루마니아 왕, 페르시아 왕과 몬테네그로 왕자의 조달업자가 됐다. 지점은 예카테린부르크, 타슈켄트, 트빌리시, 하르키우, 이르쿠츠크와 빌뉴스에 지점을 냈다. 1899년 최신 기술 표준에 맞춘 공장이 모스크바 부티르스키 구역에 세워졌고 이 공장은 곧 모든 중요한 산업 박람회에서 최고상을 받았다. 혁명 이후에 랄레 회사는 국유화됐고

| 퀼러 회사의 광고 포스터

'국영 제4비누공장'으로 이름이 바뀌었다. 향수 생산은 거의 중
단됐다. 1922년 회사는 '국영 비누와 화장품 공장 스보다'로 개
명했다. [08]

08 Viktor Lobkovič: Zolotoj vek russkoj parfjumerii, 9쪽. 그리고 V. Kožarinov: Russkaja

1882년 러시아에서 태어나 프랑스에서 교육을 받은 후, 1912년에 다시 러시아로 돌아왔던 에르네스트 보는 수석 조향사 알렉상드르 르메르시에의 지도하에 경력을 쌓기 시작했고 1912년 '부케 드 나폴레옹'을 개발했다.

러시아 향수 산업의 우상은 1838년 프랑스 조향사 가정에서 태어난 겐리히 아파나스예비치 브로카르에 의해 설립된 회사였다. 그의 아버지는 필라델피아에 새로운 향수 공장을 세우기 위해 미국으로 떠났지만 프랑스에 있는 공장을 남겨두었다. 브로카르의 아버지가 파리로 돌아왔을 때, 미국 공장은 아들들에 의해 운영됐다. 겐리히 브로카르는 1861년 아버지의 충고를 받아들여 러시아로 여행을 떠났다. 러시아에서 그는 향수 공장의 실험실 조교로 일하다가 1864년 원시적인 도구들이 있는 옛날 마구간에서 자신의 회사를 설립했다. 그는 비누—어린이 비누, 꿀 비누와 호박 비누—생산으로 성공했는데 어린이 비누 한 개마다 러시아 알파벳 글자가 인쇄됐고 '국민 포마드'의 상표에는 이반 크릴로프의 짧은 동화가 인쇄됐다. 이로써 브로카르는 비교적 가난한 계층도 비누—가장 값싼 비누는 '나로드노에'로 알려진 국민 비누로 개당 가격은 1코페이카(100분의 1루블, 1루블은 약 16.27원)—를 사용할 수 있게 했고 알파벳을 배우는 기회를 제공했다. 그리고 다른 발명품도 브로카르의 집에서 나왔다. 그 가운데는 러시아 최초의 투명한 글리세린 비누, 오이처럼 생긴 비누

parfjumerija의 관련 있는 장을 참조하시오.

그리고 대량 소비를 위한 향수 등이 있다. 브로카르는 화려하게 장식한 부티크를 열었다. 붉은 광장에 늘어선 신축된 상점들(나중에 '굼' 백화점이 됐다) 안에 있는 가장 규모가 큰 부티크는 상품의 가짓수를 늘렸고 새로운 향기를 만들어 냈다. 가게들은 브로카르의 부인인 샤를로테가 경영했다. 그녀는 러시아어를 유창하게 구사한 덕분에 모스크바 상류 사회에서 중요한 인물이 됐다. 성공한 사업가는 수집가이며 예술 후원자였다. 그는 그림, 도자기, 벽장식용 양탄자, 값비싼 가구 등이 있는 자신의 전시 공간을 갖고 있었다. 전시 공간을 오픈하는 날에는 모스크바 상류 사회의 구성원 모두가 나타났다.

브로카르는 1900년에 사망했다. 그의 상품들은 파리, 브뤼셀, 시카고와 바르셀로나에서 열린 세계박람회에서 상을 휩쓸었다. 회사 창립 50주년 기념일에는 호화롭게 장정한, 인쇄 기술과 그래픽이 뛰어난 책이 출판됐다. 이 책은 적시에 로마노프 왕조 수립 300주년을 기념하기 위해 여제 에카테리나 2세가 애용하던 향수를 생산하게 될 '브로카르 제국'에 대한 증거였다. 브로카르 역시 혁명 이후에 국유화됐으며 '노바야 자랴'라는 이름으로 소련 향수 산업과 화장품 산업의 핵심을 형성했다. '크라스나야 모스크바'가 이 회사의 가장 유명한 상품이 될 운명이었다.[09]

과자 회사이며 러시아에서 최초로 초콜릿을 생산하고 향수도 생산했던 아돌프 슈의 회사 역시 이러한 회사들의 목록에 들

---

09 Viktor Lobković: Zolotoj vek russkoj parfjumerii, 10쪽. 그리고 기념 출판물 Zolotoj jubilej tovariščestva Brokar i K, Moskva 1914를 참조하시오.

어 있다. 신축된 초현대식 공장은 혁명 이후에 '볼셰비키'로 이름이 바뀌었고 소련의 종말까지 가장 규모가 크고 중요한 과자와 사탕 공장이 됐다. 전쟁 발발 직전인 1913년에 모스크바에는 총 18군데의 향수 기업과 향수를 전문으로 취급하는 63개의 상점이 있었다.[10]

큰 성공을 거두었던 비듬 관리 비누와, 발진과 주근깨를 없애는 '메타모르포자'라는 크림을 발명했던 알렉산드르 미트로파노비치 오스트라우모프와 같은 러시아 조향사들이 러시아 제국에서 향수 산업의 인상적인 호황에 기여했다. 그는 상트페테르부르크, 오데사, 타슈켄트 그리고 바르샤바에 독자적인 실험실과 지점을 설치하고 러시아 미용 산업의 기초를 세웠다. 그는 유명한 여배우와 발레리나의 초상을 포스터에 그려 넣음으로써 이미지의 힘으로 대중을 홀리던 혁신적인 광고주였다. '협동조합 사회주의 인터내셔널 체펠레베츠키와 아들들'도 러시아 국경 너머까지 유명해졌다. 이 협동조합은 밀라노, 파리, 마드리드와 헤이그에서 열린 전시회에서 상을 받았다.[11]

향수의 이국적인 성격과 비싼 가치를 강조했던 광고, 포장, 향수병의 디자인에 새로운 중요성이 부여됐다. 포장은 더 이상 부차적인 문제가 아니라 주목을 끌기 위한 투쟁이었다. 광고는 '실버 에이지'의 유명한 화가들과 그래픽 디자이너에게 영감을

10 가장 중요한 기업들에 대해서는 Venjamin Kožarinov: Russkaja parfjumerija. Illjustriro vannaja istorija, Moskva 1999를 참조하시오.

11 Viktor Lobkovič: Zolotoj vek russkoj parfjumerii, 15쪽.

받았던 예술로 이해됐다. 이 시기는 아르누보의 시기였다. 새로운 시대의 향수와 미적 취향을 가장 외진 지점이 있는 장소까지 전달했던 화장품 산업과 향수 산업의 생산품들은 아르누보가 1900년 무렵 공적 영역과 사적 영역에서 수용됐던 중요한 형태 가운데 하나다. 향수병, 케이스, 상자 그리고 선물 세트는 러시아 제국에서 1917년 이후에도 살아남았던 편애와 취향의 목록이다. 그 세대의 기억 속에는 카르멘, 나의 바부슈카의 꽃다발, 레노메, 엑스트래 드 플뢰르, 첫사랑의 키스라고 불렸던 향수 이름들이 오래도록 남아 있었다.

이제 '붉은 아침놀' 기업에 의해 생산됐던 향수병의 라벨은 고객들에게 자신의 기업이 만든 향수가 '옛 브로카르' 향수 혹은 '옛 랄레' 향수라는 사실을 환기시키면서 한때 전설적이었던 회사들의 이름을 여전히 자랑했다. 화려하게 장식된 마개와 금테를 두른, 궁정 조달업자의 신분 상징인 머리가 두 개인 독수리가 도안된 라벨이 달린, 흠 없는 크리스탈로 만든 미니어처 예술품들에는 '은방울꽃 추출물', '진미 로코코', "흰색 헬리오트로프'와 '부케 드 나폴레옹'이라는 이름이 붙었다. 비단으로 안을 댄 케이스에 담긴 금속 분갑(粉匣)은 흰색 사향, 백조의 깃털, 헝가리 포마드와 같은 이름을 가지고 있었다. 하지만 1917년 이후 5호 기업에서 생산된 세숫비누는 '10월'이라고 불렸다. 이 세숫비누의 로고는 망치와 낫 이외에 자본가의 착취라는 용을 죽이는, 앞치마 입은 노동자를 보여 준다.

광고 포스터, 향수병, 분갑, 산업 박람회에서 받은 상, 지점들

| 1917년 국유화된 회사 '브로카르'에서 생산된 비누 '10월'의 라벨

의 주소 등은 모두 종합해 보면 제국의 향기라는 인상을 주는 동시에 세계화 제1시대의 향수 제국의 지형을 보여 준다.[12]

이 향수 제국은 이미 잘 훈련되고 항상 정확한 후각을 갖추고 한 번 더 몰락한 제국의 세계에 몸을 담근 조향사에 의해 측량됐다. 러시아 제국의 세계를 코로 측량한 인물의 이름은 콘스탄틴

---

12 광고에 대한 풍부한 사진자료는 Venjamin Kożarinov: Russkaja parfjumerija. Illjustriro vannaja istorija, Moskva 1999를 참조하시오.

미하일로비치 베리긴(1899-1982)이었다. 그는 조향사로서 자신
의 회고록을『향기』라는 제목으로 펴냈다.

조향사가 하는 일은 무엇일까? 소련에서 경험이 많은 조향사
가운데 한 사람인 알라 벨퍼는 고도로 전문적인 이 직업을 다음
과 같이 묘사했다. "조향사는 엄청난 양의 향기를 알아야 할 뿐
아니라, 한 향기가 다른 향기들과 어떻게 조화를 이루는지, 어떤
구성을 해야 향기를 피부에서 유지할지, 비누의 향기 혹은 로션
혹은 다른 화장품들에서 향기가 어떤 작용을 할지를 알아야 한
다. (⋯) 수년 동안의 작업에서 조향사가 향수의 화학식을 쓰는
것은 상당히 간단하다. 그는 향수의 화학식을 감지할 수 있다.
향기를 맡는 특유의 마음의 '코'(누크)가 있다. 이 코는 매우 많은
경험을 통해서만 완벽해진다. (⋯) 이것은 작곡가가 작곡하는 것
과 같다. 그는 종이에 음표를 쓴다. 하지만 그는 자기 머리에서

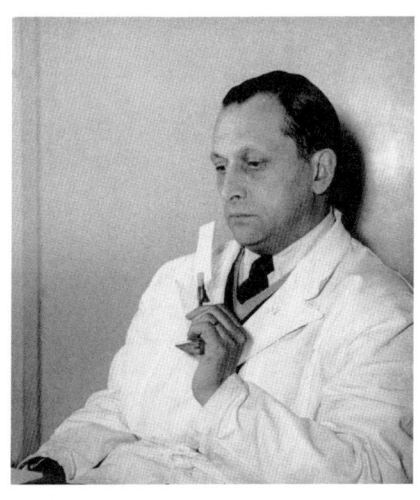

| 콘스탄틴 베리긴, 1940년

음악을 듣는다. 예전에 우리 선생님들은 2, 3, 4 향수의 화음을 구성하고 다양한 구성에서 2, 3, 4 향수가 어떤 향기를 내는지를 기억하라고 가르쳤다. 그것을 배우는 데 수년이 걸렸다. 훈련을 마친 뒤에 제대로 된 향수의 작곡가가 되기 위해서는 10년 더 섬세한 향수 구성 학문에 매달려야 한다."[13]

이와 비슷하게 미하일 로스쿠토프는 오귀스트 미셸에 대한 자신의 에세이에서 이렇게 표현했다. "향수병은 합창 혹은 오케스트라와 같다고 거장 미셸은 말한다. 부드러운 목소리, 첼로가 있다. 바이올린이 있다. 그리고 콘트라베이스가 있다. 우레 같은 냄새가 있다. 그러한 냄새의 콘트라베이스는 그 자체로는 참을 수 없다. 하지만 여기에서는 모든 것이 서로 섞인다. 우리는 화음 속에서만 그 모든 소리를 듣는다. 우리는 그 소리들을 따로따로 인지하지 못한다. 그리고 그것은 중요하지 않다."

로스쿠토프는 미셸에게 계속 말하게 한다. "그런데 나는 향수제조가 단순히 일련의 기분 좋은 향기가 나는 액체를 유리병에 붓는 것을 뜻하지 않는다는 걸 잘 안다. 기분 나쁘고 중립적이며 필수적인 향료 정착액과 보력액(補力液)도 필요하다. 다양한 구성을 위해서는 다양한 조제, 물질, 생산 조건 등이 필요하다. (…) 우리는 식물학, 화학, 향수 제조, 수년 동안의 명예스러운 조향사 직업에 대한 지식을 가져야만 한다." 향수 '루살카'의 제조자인 알렉세이 포구드킨은 안토닌 드보르자크의 오페라

---

13 Constantin Weriguine: Souvenirs et parfums: Mémoires d'un parfumeur, Plon, Paris 1965. Russ.: https://www.e-reading.club/book.php?book=1016413(2019.3.15.)

〈루살카〉를 반복해서 들었다고 한다. 향수는 우연히 만들어지는 것이 아니다. 향수는 시간이 필요하다.[14]

베리긴의 책은 냄새의 풍경으로서 혁명 이전의 러시아에 대한 최초이자 최고의 조사이다. 그의 책은 추모와 추억이 중요해질 때, 이미지와 소리에 대한 집착에서 벗어난 추모의 공간이 중요해질 때 후각이 가장 강한 감각일 것이라는 사실을 확인해 준다. 1899년 상트페테르부르크의 부유한 귀족 가문에서 태어난 베리긴은 크림반도의 얄타와 이후 중앙 러시아 오를로프스카야 오블라스트의 여러 집, 바슈키르 공화국의 수도 우파, 볼가강에 연해 있는 심비르스크와 상트페테르부르크에서 보냈던 40년 전의 유년 시절과 청소년 시절을 회고한다. 그는 제1차 세계대전 때 군 복무를 했고 혁명이 끝난 후에는 백군에 가담했다. 백군이 패배한 후에는 콘스탄티노플과 세르비아의 판체보를 거쳐 프랑스로 도망쳤다. 그는 릴 가톨릭 대학교에서 화학을 공부했고 이어서 향수 공장에서 일했다. 귀족 가문 출신이라는 이유로 그는 에르네스트 보와 접촉하게 됐다. 에르네스트 보는 그를 부르주아[15]와 샤넬을 위해 일하도록 유도했다. 베리긴은 보를 흠모했고 존경했으며, 보가 1961년 7월 9일 사망할 때까지 30년 이상을 그의 곁에 가까이 남아 있었다. 베리긴의 『조향사의 회고록』은 대

---

14 Natal'ja Dolgopolova: Parfjumerija v SSSR. Obzor i ličnye vpečatlenija kollekcionera, Kniga vtoraja, Moskva 2018, 325쪽 이하.

15 부르주아는 미국 그룹 코티가 소유한 프랑스 화장품 회사이다. 부르주아는 메이크업, 향수 및 스킨케어 제품을 생산하며, 2015년 기준으로 전 세계 80개 이상의 국가의 약 26,000개 지점에서 판매하고 있다. (옮긴이 주)

부분 그가 그토록 흠모했던 개척자에게 바치는 존경의 표시이기도 하다. 베리긴은 '수아르 드 파리(파리의 저녁)'(1926년), '브와 데질(섬의 숲)'(1929년)과 '퀴르 드 뤼시(러시아 가죽)'(1935년)의 합성에 참여했다. 제2차 세계대전 동안 그는 뮌헨에 있는 화학 공장에서 강제 노역자로 일했고, 전쟁이 끝난 후에는 파리로 돌아와서 다시 샤넬에서 일했다.[16]

베리긴의 회고록 2부는 향수를 합성하고 철제 금고에 제조법을 안전하게 보관하는 것부터 다양한 추출법과 원료 조달을 거쳐 디자인, 광고와 마케팅에 이르기까지 향수 생산의 복잡한 과정 전체를 상세하게 묘사한다. 또한 에르네스트 보의 인격에 대한 철저하고 상세한 묘사와 업적을 제공한다. 하지만 베리긴 책의 가장 중요한 부분인 1부는 그가 내전에서 패배한 후 영원히 떠나야만 했던 러시아 제국의 향기의 세계를 집중적으로 탐색한다. 전적으로 마르셀 프루스트적인 의미에서 이 책 역시 '잃어버린 시간을 찾아서'이긴 하지만, 훈련받은 화학자이며 조향사의 언어로 쓰였다. 우리는 베리긴이 쓴 책의 1부를 러시아에서 보냈던 유년 시절과 청소년 시절에 맡은 냄새의 풍경에 대한 체계적 조사로 읽을 수 있을 것이다. 또 이 책의 1부는 전문가의 훈련받은 감각으로 과거 세계를 배회하고 탐험하고 조사하기 위해 돌아온 한 개인을 설명하려는 체계적 의도를 갖고 쓰였다. 각 장 앞에는 몇 줄의 시가 놓여 있다. 그 몇 줄의 시에서는 아파나시

---

16 베리긴의 전기에 대해서는 위키피디아 러시아 판본을 참조하시오. https://ru.wikipedia.org/wiki/Веритин,_Сергий_Константиновнч

페트[17]와 니콜라이 구밀료프[18], 알렉산드르 푸쉬킨과 이반 부닌[19] 등이 후각, 기억된 냄새 혹은 향기에 대해 이야기한다. 한스 J. 린디스바허의 연구『책의 향기』에 따르면 이 시인들은 후각 경험이 형성하는 힘과 증거를 증언하는 증인으로 호명된다.[20]

베리긴은 크림반도에서 오를로프스카야 오블래스트까지의 풍경과 기후를 견뎌내고 경험했다. 그의 삶의 각 시기가 또다시 기억에 떠오른다. 즉 일렬로 늘어선 방들이 있는 넓은 집, 농장, 도시. 그는 또다시 유년 시절의 공간들을 가로지른다. 즉 모닝커피의 향기, 침대 앞 늑대 가죽, 값비싼 담배의 향기, 오랜 겨울이 지나고 다시 사용된 가구의 냄새, 소리는 향기를 동반한다. 작가가 향수의 향기에 고무되어 자신의 장래 직업을 일찍부터 선택한 것은 렐리아 아주머니의 안방이었다. 문구점에서는 향나무 연필의 냄새, 병에 든 잉크의 화학제품 냄새, 깃펜의 금속성 냄새, 책가방과 재킷을 죄어 매는 벨트의 가죽 냄새가 난다. 그의 인생 전체를 결정한 최초의 감각은 냄새와 관계가 있다. "첫인상, 첫 공감과 첫 우정은 한 사람의 삶 전체에 결정적인 것

---

17 러시아의 시인이다. 부친은 귀족, 모친은 독일인이었다. 그의 시 세계는 결코 넓지 않으나 자연의 아름다움이나 사랑을 노래한 서정시는 감미롭고 서정에 넘쳐 있어 가곡으로 작곡된 것이 많다. (옮긴이 주)

18 영향력 있는 러시아 시인, 문학 평론가, 여행자 및 군 장교였다. 그는 러시아 아크메이스트 운동(20세기 초 상징주의의 애매모호함과 가식에 반발한 러시아 시인들의 소집단으로, 이 시인들은 시인이 공예가임을 재천명했다)의 공동 창립자였다. (옮긴이 주)

19 러시아의 작가이며 시인이다. 1909년 학사원 명예 회원이 되었으며, 1911년 중편「마을」을 발표했다. 1917년 러시아 혁명 이후에 망명하여 파리에서 살았다. (옮긴이 주)

20 Hans J. Rindisbacher: The Smell of Books. A Cultural-Historical Study of Olfactory Perception in Literature, Ann Arbor, Mich. 1995.

으로 자주 증명됐다."[21] 모든 시간과 모든 장소는 그 나름의 향기를 지닌다. 학창 시절의 시작은 학교 건물의 복도 냄새, 여름의 버섯 냄새와 연결되어 있다. 크리스마스, 부활절과 사순절은 각각 특별한 냄새에 대한 기억과 연결되어 있다. 러시아 제국의 풍경은 냄새의 풍경으로 조립된다. 얄타의 산책로와 해변, 오를로프스카야 오블래스트의 광활한 평원, 눈 내리는 날 러시아의 신선하고 차가운 공기. 베리긴은 러시아 망명 시인인 돈 아미나도를 인용한다.

"세상에는 단 하나의 향기가 있고 / 또 세상에는 단 하나의 기쁨이 있다 / 그것은 러시아의 겨울 오후이다 / 그것은 러시아의 눈 냄새이다"[22]

콘스탄틴 베리긴은 유년 시절의 '작은 세계'인 집을 '코를 가지고' 횡단한다. 아버지의 사랑방과 서재, 식당, 어머니의 방, 심지어 이웃들은 그들의 집에서 풍기는 냄새로 특징이 표현된다. 다양한 향기를 내뿜는 꽃다발 전체가 속한 '질서의 냄새'가 난다. 그 꽃들은 제비꽃, 라벤더꽃, 히아신스, 라일락꽃, 장미, 등나무, 목련, 아카시아, 재스민, 카네이션, 물푸레나무, 바닐라 향의 헬리오트로프 등이다. 그의 눈앞에는 화장대에 놓여 있는 병들, 어린이들이 절대 손을 대지 못하게 은으로 만든 덮개를 덮은 작은 크리스탈 상자들이 나타난다. 이 물건들은 그의 어머니가 하얀

21 Verigin: Blagouchannost', 9쪽.

22 No odin est' v mire zapach/I odna yest' v mire nega/Eto russkiy zimniy polden', /Eto russkiy zapach snega.

타조 깃털이 달린 커다란 모자를 쓰고 아이들에게 작별 인사를 하기 전에 옷과 모피 외투에 뿌리거나 피부에 살짝 바르는, 정선된 귀중품이다. 그는 심지어 당시 부유한 가정들에서 발견할 수 있었던 브랜드들을 기억한다. 그 브랜드는 베라 비올레타, 로저 앤 갈레, 쾨르 드 자네트, 로제 드 프랑스, 우비강이 만든 켈크 플뢰르, 로리강, 라 로제 자크미노와 코티가 만든 재스민 드 코르스, 겔랑이 만든 뤼 드 라 페 그리고 그가 기억할 수 없는 몇 개의 영국 향수 등이다. 이것이 문화 전체의 향기이다. 특히 상실의 경험에서 볼 때, 이 문화는 건강한 세계의 문화이다. 러시아 비평가 올가 쿠슬리나가 제대로 비평하듯이, 이 건강한 문화에는 석탄산과 등유의 악취, 마호르카 담배, 토사물, 피 등의 자극성이 강한 냄새, 매우 심하게 분열되고 불공정한 세계의 심연에서 피어오르는 악취가 존재하지 않는다. 러시아가 쓴 소금물로 연명하는 동안, 베리긴은 상트페테르부르크에 있는 대저택의 오크 나무 마룻바닥 냄새에 대한 기억에 탐닉하고, 오룔의 별장에 있는 라일락의 낙원과 같은 향기에 취하고, 또다시 얄타의 니콜라예프스카야 거리 16번지에 있는 가족 별장의 '호화로운 향기들의 교향곡'에 탐닉했다. 베리긴은 1920년 11월 2일 이 가족 별장을 도망치듯이 그리고 영원히 떠나야만 했다. 그는 종소리가 울리고 차르 러시아 국가가 연주되는 동안 콘스탄티노플로 가는 배에 승선했다.[23] 올가 쿠슬리나는 베리긴에게 '냄새에 대한

---

23 올가 쿠슬리나의 비평: Tumany i duchi, 81쪽, in: https://www.e-reading.club/book. php?book=1016413(2019. 3. 15.).

광신'과 '향기 신비주의'의 책임을 물었다. 왜냐하면 그가 자신의 가족이 속한 러시아 상류 사회의 기분 좋은 향기를 러시아 제국 그 자체의 냄새의 세계와 동일시하고, 게다가 '무시당한 사람들과 모욕당한 사람들'의 지옥과 같이 악취가 나는 장소들을 무시하거나 부정하기 때문이다.[24]

사실 전쟁, 혁명, 내전은 후각의 차원을 가진다. 오히려 놀라운 것은 붕괴하는 세계의 냄새에 대한 기본적인 경험을 인정하는 데 상당히 오랜 시간이 걸렸다는 사실이다. 게다가 알랭 코르뱅은 프랑스 앙시앵 레짐의 냄새 세계의 해체와 붕괴에 대한 모범적인 연구를 출판했다. 이 연구에 러시아에 대한 연구들이 뒤따르기 시작했다.[25]

러시아 혁명 100주년에 즈음하여 독일의 러시아 역사학자인 얀 플람퍼는 대담하게도 이 급진적인 변혁의 역사를 감각의 역사로 진술했다. 지금까지 오랫동안 이념 투쟁, 정파의 충돌, 전략적 토론과 전술적 행동과 대결 등의 역사로 분석됐던 그 역사가 아무에게도 말하지 않고 변하기 시작한다. 존 리드의 고전 작품『세계를 뒤흔든 열흘』은 이제 '감각의 경치'와 '도시의 감각적이며 정신적인 지형학'이 되고 '감각적 대혼란'을 기록한다. 이 대혼란 속에서 '라 마르세예즈'의 멜로디와 '인터내셔널가'의 노래는 시가전의 소음과 불타는 지방 법원 및 문서 더미에서 불어오

24 올가 쿠슬리나의비평: Tumany i duchi,81쪽과 Douglas Smith: Der letzte Tanz. Der Untergang der russischen Aristokratie, Frankfurt/Main 2012를 참조하시오.

25 Ol'ga B. Vajnštejn: Aromaty i zapachi v kul'ture, tom Ⅰ-2, Moskva 2003, 2010; in Bd.2 그리고 논문 'Semiotika "Šanel' No 5"'.

는 냄새만큼 중요한 역할을 한다. 러시아 혁명의 한 '단계'에서 다음 단계로의 가속화 정도는 차르 러시아 국가에서 인터내셔널가로의 이행에 의해 청각적으로 표시되지만, '후각의 계급투쟁'의 전개에서도 읽어낼 수 있다.[26] 부르주아의 살롱에서 여전히 냄새를 맡을 수 있는 고급 담배의 향기는 혼란에 빠지기 시작한 세계의 상징이 된다. 감각은 땔나무의 공급이 줄어들고 제과점이 프랑스식 흰 빵을 더 이상 공급하지 못하는 정도에 따라서 친숙한 냄새의 상실에 적응한다.

계급의식은 이제 후각의 차원을 획득하고, 관리, 종업원, 상류 사회의 여성들은 갈수록 파편화되는 냄새의 세계에 적응해야한다. 밤사이에 그들의 안락한 세계에 다른 소리, 다른 냄새가 침입한다. 여전히 운행되는 시내 전차는 몇 주 동안 씻지 못하고 전쟁터에 묶여 있는 사람들에게서 나는 특유한 냄새로 가득 차 있다. 전선에서 떼지어 돌아온 군인들과 탈영병들로 넘쳐나기 때문이다. 상트페테르부르크의 네바강의 거리 혹은 모스크바의 트베르스카야 거리를 배회하는, 향수를 뿌린 젊은 여성의 세계는 이제 파피로사 담배의 자극성이 강한 냄새와 충돌한다. 연극 공연은 더 이상 휴식, 박수, 침묵의 순간을 지켜야 하는 공

---

26 'Olfactory class struggle'은 Jan Plamper: Sounds of February, Smells of October: A Sensory History of the Russian Revolution. Beitrag zu Centenary Conference des Harvard Davis Center 2017, 출판되지 않은 원고. 나는 출판되지 않은 원고를 나와 공유한 저자에게 감사를 전하고 싶다. 그리고 Jan Plamper: Die Russische Revolution. Vier Forschungstrends und ein sinneshistorischer Zugang–mit ausgewählten Quellen für den Geschichtsunterricht, in: Geschichte für heute, 10 (2017)4, 5–17쪽, https://www.fachportal-paedagogik.de/literatur/vollanzeige.html?Fld=1133706#vollanzeige (2019. 8. 12.)를 참조하시오.

연의 행동 규칙을 내면화했던 특권층 관객과 교양 있는 관객을 위해서만 예약되지 않는다. 지금 레드 벨벳과 샹들리에로 장식된 홀 안으로, 이전에 공연을 한 편도 볼 수 없었고 따라서 담배를 피우거나 해바라기 씨를 로비의 번쩍이는 타일에 뱉는 일자무식의 관객들이 몰려온다. 전선과 야영지의 냄새, 공장 노동의 땀, 만원이 된 열차의 악취가 부르주아 출신 관객과 상류 사회 출신의 관객들이 불쾌하고, 교양이 없고, 혐오스럽고, 역겹고, 심지어 야만적으로 느꼈던 특유의 소음 및 냄새와 함께 향수를 뿌리고 냄새가 제거된 영역 안으로 파고 들어온다. 이러한 처음의 전진들은 단지 앙시앵 레짐의 폐쇄적이고 정돈된 향기의 세계의 벽에 균열을 냈다. 하지만 곧 이 세계는 향기의 섬, 향기의 소수 민족 거주지, 향기의 다도해, 향기의 고립된 피난처로 쪼개졌다. 향기의 세계에 의문이 제기됐던 지금 이 순간에 '사회'는 과거에 당연하게 여겼던 모든 것—살롱, 축제와 같은 저녁 사교 모임, 부르주아와 상류 사회의 핵심 그룹, 몰락할 운명인 세계에 스며들었던 냄새와 향기와 함께 그 세계의 내부 등—이 사라져 가고 있다는 사실을 깨달았다. 사회 혁명은 이 세계의 가장 내적인 영역을 겨냥하고, 과거에 유산 계급이 정착해서 살았던, 지금은 "압제자들을 척결하자 / 노예의 무리여, 깨어나라 / 아무것도 아닌 사람으로 사는 것을 더는 참지 마라 / 전부가 되어라"라는 인터내셔널가의 한 소절을 따라 부르면서 새로운 사람들이 몰려오는 집과 숙소를 겨냥한다.

　그때까지는 한 가족이 잡일을 하는 하인들과 함께 살았던 부르주아의 집에는 이제는 여덟 개의 방 가운데 한 방마다 가족 전체가 살고, 한집에 사는 사람이 6명 혹은 8명이 아니라 거의 40명에 이른다. 이로써 생활 세계의 변화가 짧은 순간이 아니라, 수년 동안, 수십 년 동안 개별 가족이 아니라 여러 세대의 도시 거주자들에게 일어났다. 구질서의 붕괴로 인한, 농부들의 공장과 도시로의 탈출로 인한 공동주택 '코무날카'의 탄생, 서로 전혀 낯설고 제멋대로 뒤섞인 주민들의 강요된, 원치 않는 공동생활 때문에 불가피하게 발생한 친밀한 교제 등은 향후 수십 년 동안, 바로 체제의 붕괴까지 존속했던 소련 시민 수백만 명의 공동생활을 다룬 일일 드라마의 소재이다. 공동생활은 자주 묘사됐고 어려움 없이 상상할 수 있는 '후각의 차원'을 갖고 있다.[27]

혁명 정권은 '후각 혁명'을 사회 변혁의 불가피한 부수 현상으로만 받아들이지 않았고, 말하자면 새로운 사회의 냄새의 세계에 대한 낯선 암호를 만들어 냄으로써 분명하게 '후각 혁명'을 촉진했다. 새로운 국가 권력의 특수한 은어—스티븐 코트킨은 그것을 '말하는 볼셰비키'라고 불렀다—와 특수한 행동이 존재하듯이, 새로운 인간에게 적합한 냄새의 세계도 존재했다. 이 냄새의 세계에서는 세련과 향기의 모든 형식이 연성화(軟性化) 혹은 심지어 데카당스의 표현으로 거부됐고, 향수는 브루주아적 생활방식의 표현으로 낙인찍혔다.

---

27 이에 대해서는 Karl Schlögel: Das sowjetische Jahrhundert. Archäologie einer untergegangenen Welt, München 2017, das Kapital "Kommunalka oder Wo der Sowjetmensch gehärtet wurde", 324-345쪽을 참조하시오.

향후 노동 세계의 냄새—주로 힘의 소모, 땀과 때와 연결됐던 육체적인 노동을 의미하는—는 게으름, 응석받이, 데카당스의 향기와 충돌했다. 부르주아 지식인임을 드러냈던 안경이나 상류 사회의 아가씨 혹은 지식인임을 알아보게 했던 '하얀 손'처럼 향수는 이제 신분을 드러나게 할 수 있었다. 잠깐이기는 하지만 향수는 이제 청년 공산주의자의 노동복 혹은 공무원의 가죽 외투에 어울리지 않았던 특정한 옷을 입는 것처럼 계급의 특성이 됐다. 패션과 향수의 밀접한 관계가 여기서 드러난다. 왜냐하면 혁명 계급의 향기가 존재했듯이, 혁명 프롤레타리아의 복장 규정도 존재했기 때문이다.

향기의 세계는 서로 갈등했다. 옛 세계의 해체와 새로운 세계의 생성 사이의 과도기에, 말하자면 계급 대립의 존속을 표현했던 냄새의 영역들이 서로 중첩되었다. 베리긴은 심지어 '죽어가는 계급의 냄새'와 '새로운 사회의 냄새'에 대해 말한다. 향기는 권력의 중심에서 사라졌다. "러시아 귀족에게 새로운 시대는 죽음의 냄새를 가져왔다. 숨이 막힐 듯한 시체의 냄새, 역겨운 피 냄새 등은 이제 러시아 귀족이 존재하는 냄새의 공간이 됐다." 반대로 권력의 대표들, 국가 공무원들과 당원들에게 달라붙은 냄새는 가죽 외투와 자동차—혁명 사회의 옷과 신분의 상징—의 냄새였다. 이전에 하층 계급이 수행했던 더러운 일을 해야만 하기 때문에 추락한 계급은 창피를 당했다. '부르주아 부류'는 눈을 치우는 일에, 화장실 청소에 그리고 쓰레기를 치우는 일에 파견됐다.

1921년과 1929년 사이의 신경제정책의 시기는 그러한 과도기였다. 암시장에서는 여전히 옛날 비누와 향수의 재고가 돌아다녔다. 엘리트 출신의 아름다운 여성들—라리사 라이스네르, 알렉산드라 콜론타이, 니나 베르베로바—은 바로 이런 향수로 치장했다(여러 나라에서 연달아 대사를 지냈던 볼셰비키 귀족인 알렉산드라 콜론타이는 '부르주아' 회사의 '수아르 드 파리'를 좋아했다).[28] '붉은 여권'을 들고 서방으로, 자본주의 국가들로 여행할 수 있는 여행객, 외교관, 언론인 그리고 작가들은 외국 여행에서 돌아오면서 비누와 향수 혹은 패션 잡지『하퍼스 바자』[29]와 『보그』를 들고 왔다. 커넥션은 아직 완전히 단절되지 않았다. 화장품의 이름으로 옛 시대가 아직도 반향을 일으킨다. 1920년대의 많은 향수의 이름이 여전히 불린다. 즉 부케, 사랑의 향기, 좀꽃, 암브로시아, 백장미, 타티아나 부케, 발레리야의 변덕, 타이 장미, 로즈버드, 아이-페트리(크림산맥의 봉우리), 메리 픽퍼드와 플로리아. 새로운 시대의 이름들은 정치적이었다. 향기의 세계는 의미론적으로 볼셰비즘화했다. 향수와 화장품은 이제 이렇게 불린다. 즉 황금색 곡물, 새로운 일상, 붉은 양귀비, 레드 모스크바, 스파르타키아다[30], 북유럽의 영웅, 아방가르드. 나중에, 제1차 5개년 계획

---

28 '강철 여성'이라는 용어는 니나 베르베로바의 다큐멘터리 소설(Železnaja ženščina, Moskva 2009)과 관련이 있다.

29 『하퍼스 바자』는 미국에서 발간되는 국제적인 패션 잡지이다. 현재 29개 나라에서 독자적인 판본을 발행한다. 매달 뛰어난 사진사, 예술가, 디자이너와 작가들이 초대된다. 패션, 아름다움 그리고 팝문화에 대한 그들의 견해가 기술된다. 이 잡지는 허스트 기업에 의해 발행되며 이미 19세기 말부터『보그』의 가장 강력한 경쟁 잡지이다. (옮긴이 주)

30 소련에서 근대 올림픽에 대항하기 위해 만들었던 국제 운동경기이다. 대회 이름은 고

이라는 질풍노도의 시기에 향수와 화장품은 공산주의 건축 공사장의 이름을 지니게 됐다. 그 이름은 '스트라토스타트(일종의 계류기구(繫留氣球)', '당직 중인 콜호스의 농부들에게 보내는 우리의 대답', '개척자', '탱크', '백해(白海)-운하', '첼류스킨 배에 탄 사람들에게 보내는 인사(1933년 북극 얼음 덩어리에 갇혔지만 배에 탄 사람들을 구조했던 소련 탐험선 첼류스킨의 이름을 따서 명명된)', '콜호스-승리' 등이다. 그리고 새로운 향기는 새로운 출세주의자 계급의 트레이드마크가 됐다.

공동주택에서는 공동 부엌에서 나오는 냄새, 양배추 수프의 냄새가 그곳에서 묵었던 '옛날 사람들'이 포기할 수 없었던 기분 좋은 향기와 겹쳤다. 더러움과 깨끗함의 대립, 향기와 악취의 대립은 '당(黨)의 수정같이 맑은 순수성', '부패한 부르주아 지식층' 혹은 '숙청'이 이야기될 때 정치 영역으로도 파고든다. 예를 들면 알렉산드르 베르틴스키의 노래에서 언급된 라벤더 향기는 볼셰비키 도덕의 수호자 눈에는 쇠퇴, 데카당스, 타락으로 보였다. 정치적 적수들은 곧 역사의 '오물 더미' 혹은 '쓰레기 더미'에 속했던 '트로츠키주의자-피야타코프주의자로 타락한 사람들'이라는 칭호로 불렸다.[31]

내전이 끝날 무렵, 향수 산업과 화장품 산업이 재조직됐을 때, 이러한 산업 부문의 초점도 바뀌었다. 산업의 부흥은 수백만

대 로마의 노예 봉기의 주동자였던 스파르타쿠스에서 가져왔다. (옮긴이 주)

31 선동적인 증오의 연설에 대해서는 Karl Schlögel: Moskau 1937, München 2008, 103-118쪽을 참조하시오.

명의 사망자, 부상자 그리고 추방당한 사람을 남긴 십 년 동안의 내전이 끝난 후 정상화를 향한 발걸음이었다. 소련 정부는 처음에는 마지못해 혁명 이전의 전통을 부활시켰고, 나중에는 대량 소비를 위한 비누 그리고 황후가 애용하던 향수 대신에 레드 모스크바를 제공함으로써 이 전통을 새롭게 이어가려고 애썼다. 하지만 고급문화와 소련 고유의 향수를 완성한 상징으로 향수를 복원하기 위해서는 아직도 결정적인 발걸음이 필요했다. 그 발걸음은 대중과는 달리 더 좋고 더 아름다운 삶에 대한 열망을 표명하고 실현할 수 있는 국민 계층을 형성하는 것이었다. 이 계층이 집단화, 산업화 그리고 스탈린 숙청의 격변을 겪은 후 출현했던 1930년대의 '새로운 계급'이었다.[32] 소련 고유의 향수를 생산하는 것은 이제 5개년 계획의 변화 속에서 발전되고 현대화된 향수 산업의 중요한 문제가 됐다. 소련의 향수 산업이 분명하고, 간결하고, 추상적인 형태로 방향을 전환한 것은 서방 세계에서 하나의 스타일을 만들어 낸 샤넬 넘버 파이브 향수병의 형태에 소련 향수병의 형태를 가능한 한 맞추는 것이었다. 이것은 근대 안에 두 개의 길이 존재했다는 사실을 표시하는 것이다.

혁명 이전의 러시아에서 향수병의 단순하고 분명한 형태로의 방향 전환은 정사각형 유리에 담긴 샤넬 넘버 파이브를 출시한 코코 샤넬의 결정과 비교됐다. 코코 샤넬의 전기 작가인 에드

---

32 1930년대의 신분 상승자에 대해서는 Sheila Fitzpatrick: Stalin and the Making of a New Elite, 1928-1939, in: Slavic Review 38/3 (1979), 377-402쪽. 스탈린 시대의 출세 지상주의자에 대해서는 Vera Dunham: In Stalin's Time. Middleclass Values in Soviet Fiction, Durham/London 1990을 참조하시오.

몽 샤를–루는 향수병의 디자인을 다음과 같이 묘사했다. "샤넬 향수병은 경쟁자들이 매우 좋아했던 화려한 장식—큐피드 모양의 병과 레이스와 꽃이 장식된 항아리—과는 전혀 달랐다. 왜냐하면 다른 향수 제조자들은 여전히 그러한 장식이 판매를 촉진할 것이라고 믿었기 때문이다. 가브리엘이 시장에 내놓았던 뾰족한 모서리를 한 정육면체 향수병의 주목할 만한 특징은 그것이 환상을 새로운 상징체계로 옮겼다는 사실이다. 향수병은 더이상 판매에 영향을 미쳤던 물체가 아니라, 반응을 유도했던 기관(器官)이었다. 라벨의 또렷한 그래픽에 대해서도 말이 많았다. 이러한 그래픽은 옛 향수병을 장식한 곡선과 소용돌이 모양을 쓸모없게 만들었다. 그리고 검은색과 흰색의 대조로만 구성됐던 장식의 엄격한 조화에 대해서도 말이 많았고—검은색, 영원히 검은색에 대해서도 말이 많았다—향수병의 이름, 즉 간결한 숫자와 연결된 단 하나의 단어 '샤넬'에 대해서도 말이 많았다. 샤넬 넘버 파이브 진열창에는 고압적인 구호처럼 상품 진열창에 '파이브를 사용하십시오'라는 문구가 쓰어 있었다."[33]

새로운 디자인은 이전에 존재하던 모든 것을 유행에 뒤떨어진 것, 더 이상 쓸모가 없는 것으로 만들어 버렸다. 조금 더 자세히 들여다보면 새로운 디자인은 우연한 예술적 영감의 산물이 아니라, 수명을 다했던 시대와의 미학적인 작별 형식이었다. 안드레이 예브제예프에 의해 설계되고 소비에트 화장품 기업연합

---

33 샤넬 넘버 파이브 향수병의 디자인에 대해서는 Edmonde Charles-Roux: Coco Chanel, 238쪽을 참조하시오.

인 '테제'에 의해 생산된 '크라스나야 모스크바'의 디자인과 다르지 않았다. 러시아는 레닌이 선언했던 것처럼 '문명의 정점에 이르는 독자적인 길'을 걸었다. 그러나 이 분열된 세계에서 현대성의 상이한 두 가지 형식은 그들이 알았던 것보다 더 많은 공통점을 갖고 있었다. [34]

---

34 '다양한 근대성'에 대해서는 Michael David-Fox: Crossing Borders. Modernity, Ideology, and Culture in Russian and the Soviet Union, Pittsburgh 2015를 참조하시오. 문명의 정점에 이르는 다양한 길에 대한 레닌의 인용은 다음의 책에 들어 있다. W. I. Lenin: Über unsere Revolution, Ausgewählte Werke, Bd. III, Berlin 1966, 867-870쪽.

벨 에포크와의 작별과
새로운 여성을 위한 의상:

샤넬과 라마노바의 이중혁명

파리와 모스크바의 모든 것이 향수, 사치와 패션의 세계뿐 아니라 사회 전체를 포괄했던 과거와의 단절을 가리켰다. 이즈음 하나의 세계가 움직이고 있었다. 이 세계는 수백만 명의 사상자와 육체적, 심리적 트라우마를 낳은 제1차 세계대전의 경험에 의해 뿌리째 흔들렸다. 소련에서는 전쟁이 끝난 후에 러시아 제국 혹은 과거의 제국에서 가장 멀리 떨어진 지역까지 혼란에 빠뜨렸던 혁명과 장기간에 걸친 내전이 뒤따랐다. 무너진 것은 정치질서와 국가질서뿐만이 아니었다. 삶의 방식 전체가 무너졌다. 전쟁과 혁명은 이러한 사건들이 발생하기 오래전부터 일어날 기미를 보였던 모든 과정을 파괴하도록 부추겼던 파멸의 기폭제였다. 그 사건들은 이미 벨 에포크[01]의 품 안에서 숙성했던, 러시

---

01 벨 에포크(아름다운 시절)는 주로 유럽에서 19세기에서 20세기로 넘어가는 세기 전환기의 약 30년의 기간을 지칭하는 표현이다. 대개 1884년부터 제1차 세계대전 발발(1914년)까지의 기간이다. 세기 전환기의 기간에는 '세기말(fin de siècle)'이라는 개념이 사용되기도 한다. (옮긴이 주)

아의 경우에는 개혁을 넘어서 포괄적인 삶의 혁명을 초래했던 생활 개선 프로젝트들이었다. 지역적 차이에도 불구하고 과거의 상황에서 벗어나 새로운 상황을 준비하는 것은 전후 유럽에서 기본적인 작업이었다. 세부적인 것이 아니라 '전체'가 중요했다. 새로운 인간상, 여성의 변화된 역할과 젠더 관계, 권위와 권력의 위계질서, 노동과 여가에 대한 변화된 관계, 몸에 대한 새로운 의식이 중요했다.

따라서 더 아름답고 좋은 삶이라는 미래의 모습에 대해, 러시아와 프랑스뿐만 아니라 유럽 전체에서 동시에 거의 같은 생각이 나왔다는 것은 놀라운 일이 아니다. '19세기의 수도' 파리에 대한 연구에서 패션에 이러한 과정들의 지표로서의 중심적인 역할을 부여했던 사람은 발터 벤야민이었다. 벤야민이 결국 미완성으로 끝난 기념비적인 작품에서 그랬듯이, 우리는 패션에서 미래에 대한 선취와 암시를 읽어낼 수 있다. "철학자들이 패션에 열렬한 관심을 보이는 것은 패션의 터무니없는 예견력 때문이다. 예술이 종종 예를 들어 회화의 경우에서처럼 현실을 우리가 실제로 지각하는 것보다 몇 년이나 앞서 예견한다는 것은 잘 알려져 있다. 기술이 네온사인이나 그 밖의 다른 장치를 통해 거리와 홀을 온갖 색깔의 빛으로 비추기 훨씬 전에 이미 예술에서 그처럼 다채로운 색으로 빛나는 거리와 홀을 볼 수 있었다. 게다가 앞으로 다가오고 있는 것을 예감하는 예술가들 한 사람 한 사람의 감지력은 분명 상류 사회의 부인보다 훨씬 더 뛰어날 것이다. 그렇지만 패션은 다가올 것에 대해 예술보다 훨씬 더 항상적이며, 정확한 접촉을 유지하고 있다. 그것은 미래에 다가올 것을 감지하는 여성 집단의 비할 데 없는 후각 덕분이다. 새로운 시즌이 다가오면 최신 복장에는 다가올 어떤 것을 알리는 비밀스러운 표시가 반드시 들어 있기 마련이다. 그러한 신호를 읽어내는 방법을 익힌 사람이면 누구나 예술의 최신 경향뿐 아니라 새로운 법전이나 전쟁, 혁명까지도 미리 감지할 수 있을 것이다. 의문의 여지 없이 바로 여기에 패션의 가장 큰 매력이 있다. 하지만 동시에 그러한 매력을 잘 활용해야 하는 어려움도 여기 있다."[02]

샤넬 전기의 저자 에드몽 샤를-루가 샤넬 넘버 파이브라는 창작물에서 확인했던 '패러다임의 전환'이 패션에서 일어났다. 여기서 놀라운 것은 샤넬 식의 미래의 스타일을 위한 공식이 1920년대와 1930년대 '소련의 최고 재봉사'인 나데즈다 라마노바에게서 발견할 수 있는 신여성을 위한 패션의 공식과 아주 유사하다는 사실이다.[03]

실제 이름이 가브리엘 샤넬인 코코 샤넬은 유일한 개척자는 아니었다. 제1차 세계대전 이전 프랑스 패션 산업의 개척자인 폴 프와레는 결정적인 사전 작업을 해냈다. "하지만 지금 갑자기 오직 선을 살리기 위해서 장식이 사라졌다. 그리고 시대의 요구에 부응해서 유행 창조자가 오직 논리에 의해 발전시켰던 의상이 등장했다." 하지만 1916년에 '귀환 불능 지점'에 도달했고

---

02 Walter Benjamin: Gesammelte Schriften V. I, Das Passagen-Werk, Frankfurt/Main 1982, 112쪽(패션-장).

03 Aleksandr Vasil'ev: Krasota v izgnanii. Tvorčestvo russkich ėmigrantov pervoj volny: iskusstvo i moda, Moskva 1998.

과거와 결정적으로 단절했던 인물은 가브리엘 샤넬이었다. 샤넬은 이렇게 썼다. "여성은 편안할 권리, 옷을 입고 자유롭게 움직일 권리를 가졌다. 장식을 희생하면서까지 스타일이 조금 더 중요해졌다. 그리고 마침내 '값싼' 재료들이 갑자기 평가 절상됐고, 이 때문에 가까운 미래에 많은 여성은 기품을 가질 수 있었다." 그 결과 "처음으로 여성 패션에서 혁명은 유행을 따르는 것이 아니라, 근본적이고도 불가피하게 온갖 변덕을 제거하는 것이었다. 왜냐하면 저지 직물로는 아무것도 할 수 없었기 때문이다. 몸에 착 붙게 솔기를 조금만 좁혀도 너무나 헐거운 저지 직물은 솔기가 풀렸다. 가브리엘이 아닌 다른 사람은 포기했을 것이다. 가브리엘은 포기하지 않았다. 유일한 해결책은 단순화하는 것이다. 와이셔츠형의 앞이 트인 원피스는 발목 위에서 제대로 끊어주었다. 가브리엘은 여성이 계단을 올라가는 순간에 많은 남성이 음탕하게 기다렸던 수백 년 된 몸짓을 일격에 없앴다. 그 몸짓은 스커트를 살짝 치켜드는 것이다. 이로써 여성의 특정한 시대, 수천 개 주름을 잡은 보디스 스커트와 구름 모양의 베일이 달린 모자의 시대가 사라졌다." "연보라색 옷의 긴 옷자락을 자신의 몸 뒤로 펼치는" 여성은 더 이상 존재하지 않았다. 지금부터는 그런 여성 대신에 방해받지 않고 활보하는, 손을 돌려서 혼자 옷을 입고 벗을 수 있는, 경계해야만 하는 여성이 존재했다. "그러나 새로운 유형의 여성은 용기를 잃게 할 수 있었다. 완전히 새로운 여성이었다. 이 여성의 옷은 어떠한 암시도 없었다. 그 여성에게 묻는 것은 불필요했다. 게임 규칙은 의도적으

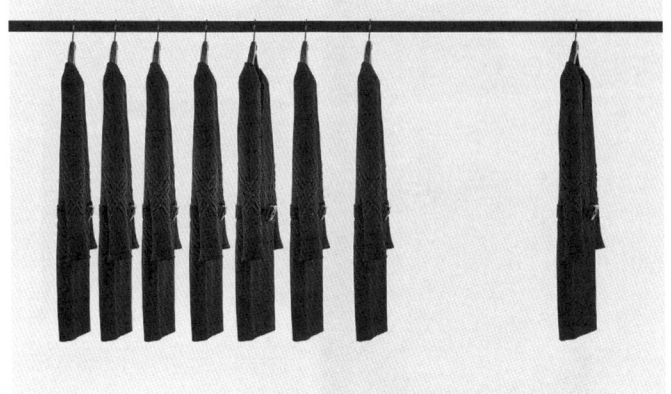

| '패션의 포드'로서 샤넬의 '짧은 검정 드레스'

로 뒤죽박죽이 됐다. 그 결정적인 특징을 어느 박물관에서도 찾지 못했던 패션에 대해 우리는 어떤 태도를 취했어야 할까? 아무리 박식함을 뽐내는 사람이라도, 이 여성은 모든 상상을 뛰어넘었다."[04]

1916년에 『하퍼스 바자』는 샤넬의 첫 번째 컬렉션을 표지 사진으로 장식했다. 하지만 『보그』의 미국판이 샤넬의 검정 드레스를 결국 샤넬이 찾아낸 현대 여성복의 형태—샤넬이 결국 찾아낸 향수의 형태와 유사한—라고 주장하기까지는 꼬박 10년이 걸렸다. 당황스러울 정도로 단순하며 제복이나 다름없고 옷깃이 없는데다 검정 크레프 드 신[05]으로 만든, 길고 좁은 소매가 달리고, 엉덩이까지 닿는 블라우스에 몸에 꼭 맞는 스커트로 된 옷

---

04 샤를-루, 『코코 샤넬』, 186, 187쪽.

05 오글오글한 잔주름이 많은 얇고 부드러운 비단의 하나. 가는 견사로 된 평직으로 중국에서 나는 비단을 본떠 프랑스에서 짠 비단이다.

1880년대의
나데즈다 라마노바

인 샤넬의 '짧은 검정 드레스'는 실용적이고 편하고 우아하다.[06]

옷, 특히 여성의 옷은 장식이 모두 없어야 하고 편안함과 기
능을 고려해 디자인되어야 한다는 견해는 소련의 지도적 패션
디자이너인 나데즈다 라마노바에 의해서도 강령처럼 표현됐다.
라마노바는 이렇게 말했다. 옷은 몸에 폭력을 행사해서는 안 된
다. 옷은 아무것도 강요해서는 안 된다. 오히려 옷은 몸과 일치
해야 한다. "새로운 옷은 새로운 삶, 즉 노동의 삶, 역동적이고 의
식적인 삶과 일치할 것이다."[07] 『옷의 합리성에 대하여』에서 라마
노바는 이렇게 썼다. "옷은 사회생활과 심리의 가장 민감한 표현

06 샤를-루, 『코코 샤넬』 289쪽.

07 Trizhenova Strizhenova: Soviet Costume and Textiles 1917-1945, Paris 1991, 309-
   310쪽.

들 가운데 하나다." 소비에트 러시아에서의 사회조직 전체의 전례 없는 무조건적인 구조 조정과 새로운 대규모 소비자층의 탄생은 동일하게 옷의 급격한 변화를 초래한다. 이런 이유로 우리의 특수한 시대에 상응하는 형태에 대한 예술적 감각을 우리 시대의 순전히 실용적인 요구와 연결한 새로운 옷을 만들어야 하는 필요성이 있다. 상업적인 고려에 따라 변화하는 서유럽의 패션과는 달리 우리의 패션은 사회 위생, 노동과정의 요구 등을 고려해야 한다. 단지 편한 옷을 디자인하는 것으로는 충분하지 않다. 우리는 옷의 예술적 요소들과 최근 생겨난 새로운 삶의 새로운 형태와 희망이 정확하게 일치한다는 사실을 보장해야 한다. 이 모든 조건들은 예술적 작업과 대량생산을 위해 시대에 맞는 옷을 실용적으로 실현할 방법을 요구한다. 옷은 어떤 의미에서는 몸의 확장이다. 옷은 우리의 몸처럼 일상생활에서, 또 일을 할 때 여러 가지 기능을 수행한다. 이것이야말로 옷이 이성적이어야만 하는 이유이다. 옷은 입은 사람을 방해해서는 안 되고, 도움을 주어야 한다. 이런 이유로 옷 디자인을 지시하는 가장 중요한 요소들은 다음과 같다.

1) 하나의 양식 혹은 또 다른 양식(옷 입는 사람의 스타일)에 들어 있는 옷 입는 사람의 개인적 특성과 기호

2) 시대의 스타일, 시대의 문화적 인상

3) 결국 실루엣에서 표현되는 개인의 형상

4) 그 자체가 주어진 양식으로, 우리가 창조하고 있는 양식의

몇 가지 요소를 미리 결정하는 소재(직물)

5) 의상의 실용적인 목적

따라서 예술적 의상을 만드는 과제에는 인물, 소재 그리고 목적을 시대와 입는 사람의 눈에 가능한 한 매력적으로 보이게 하는 보편적인 양식으로 통합하는 것이 포함된다. 위에서 언급된 내용은 아래와 같이 현실성 있게 표현될 수 있다.

누구를 위해서?

무엇으로?

무슨 목적을 위해서?

그리고 이 모든 것은 '어떻게(양식)'에 융합된다.

이 원칙들에 따라서 양식을 창조하면서 모든 예술을 지배하는 비율과 관계의 구체적인 법칙에 엄격하게 따라야만 한다. 의상에 대한 이러한 해석은 순전히 외적인 사회생활을 반영할 뿐아니라 러시아 사람들의 가정적, 심리적, 역사적 그리고 민족적 특성들을 면밀히 검토하도록 강요하기도 한다. 이것은 자연스럽게 수공업에서 분명히 드러난 민속예술 연구로 이어질 것이다. 이 연구에서 민속예술 모티프들의 탁월함과 소련의 생활 방식과 일치하는 민속예술 모티프들의 심오한 합리성이 발견될 것이다. 전통 자수, 레이스와 리넨 직물은 새로워진 사회적, 심리적인 사회생활에 의해 생긴 양식에 대한 동시대의 감각과 연결

되어 있다. [08]

라마노바가 '소련 최고의 재봉사'로 신분이 상승한 비결은 그녀가 실용성과 미학적으로 세련된 의상을 결합했기 때문일 것이다. 그녀는 1930년대 초반에 형식주의자들과 구성주의자들과 관계를 청산했다. 그 후 1935년에 '견본 하우스'의 설립으로 계획경제 안에서의 소련 패션의 발전을 위한 제도적 기초를 놓았다. [09]

이 두 패션 디자이너 사이에 존재했던 미학적 연대감과 차이는 아마 이 두 여성의 서로 다른 삶의 궤적 때문이지만, 무엇보다도 이 두 여성이 유럽이 제1차 세계대전이 끝난 후 '벨 에포크'와 작별하고 알려지지 않은 '근대'를 향해 나서는 시기인 '시간의 고향'에 속해 있기 때문일 것이다.

1883년 이 시장에서 저 시장으로 떠돌아다니던 노점상의 사생아로 메네루아르 구역 소뮈르에서 태어난 가브리엘 샤넬은 청소년기를 오바진 수녀원의 수녀들이 경영하는 고아원에서 보냈고 나중에는 물랭에 있는 가톨릭 여학교를 다녔다. [10] 샤넬은 일찍 재봉을 배웠다. 나데즈다 라마노바는 초기 세대에 속했다. 그녀는 1861년 모스크바 근처에서 빈곤한 귀족 가문에서 태어났

08 Strizhenova: Soviet Costume and Textiles 1917-1945, 310-311쪽.

09 Das sowjetische Jahrhundert, 'Kleider für den neuen Menschen 혹은 Christian Diors Rückkehr auf den Roten Platz' 장에 수록된 내 요약문 607-630쪽을 참조하시오.

10 가브리엘 샤넬에 대한 수많은 전기 이외에 몇몇 뛰어난 영화 에세이들 즉 Inside Chanel 혹은 For the First Time이 있다. 그 가운데는 카를 라거펠트가 구상한 시리즈들과 youtube에 인터뷰들이 있다. 예를 들면 https://www.youtube.com/watch?v=tRQa33dqyxl (2019. 3. 18.).

으며 니즈니 노브고로드에 있는 여학교를 다녔고, 그 후 모스크
바에 있는 양재 학교에서 훈련을 받았다. 20세기 초에 인기가 있
는 재봉사가 되었으며 이내 비전하(妃殿下)의 왕실 지정 조달업
자가 됐다.

두 여성은 다양한 세계와 접촉했던 삶의 극적인 단계들을 경
험했다. 샤넬은 재봉사였고 물랭에 있는 카페의 가수였다. 가수
였기 때문에 샤넬은 휴양 도시 비시의 세계와 접촉했고 '한층 높
은 수준'의 사교계 출신 연인들과의 연결 덕분에 그녀의 고향인
프랑스 시골과는 전혀 다른 환경을 알게 됐다. 연인들은 성에서

함께 살았던 기병 장교이며 섬유 제조업자인 에티엔 발상 그리고 그의 친구인 영국 귀족 아서 에드워드 '보이' 카펠이었다. 카펠은 샤넬이 세계적인 해변 휴양지인 도빌과 비아리츠에 그리고 마침내 파리에 패션 부티크를 설립하는 데 도움을 주었다. 라마노바는 제1차 세계대전 이전에 이미 세계를 자기 집같이 여기는 삶을 살았고 규칙적으로 파리를 방문했다. 샤넬은 그녀의 관대한 연인들 때문에(하지만 그녀는 독립성을 결코 포기하지 않았다), 하지만 무엇보다도 그녀의 천재성 때문에 세계를 내 집같이 여기는 삶을 살게 됐다.

두 여성은 예술에, 특히 연극에 참여했다. 라마노바는 콘스탄틴 스타니슬랍스키의 모스크바 예술극장에서 의상 디자이너로 일했고, 샤넬은 파리 보엠-무대의 여왕인 미시아 세르트와 친분을 쌓은 다음부터 파리 사회 그리고 발레단 '발레 뤼스'의 가장 중요한 인물들, 특히 세르게이 디아길레프와 접촉했다. 라마노바는 러시아 혁명이 끝난 1919년에 잠시 그녀의 남편과 함께 투옥됐다. 하지만 막심 고리키의 중재로 석방됐다. 그 후 그녀는 1941년 사망할 때까지 소련 패션 산업의 중심인물이었다. 샤넬은 제1차 세계대전 동안 잠시 격리 병원에서 일했고 전쟁이 끝난 후에 프랑스 패션계의 중심인물이 되었다.[11] 두 여성은 '예술에 대한 상식적인 이해'를 지닌 '보통 사람들'과 발레 뤼스와 모스크바 예술극장에 의해 대표되는 세련된 고급문화 사이의 격차와

---

11 라마노바의 전기에 대해서는 Schlögel: Das sowjetische Jahrhundert, 623-626쪽을 참조하시오.

긴장을 직접 경험했고 그 경험을 생산적으로 사용했다.

그녀의 전기 작가에 따르면 샤넬은 언제나 자신의 부모에게서 '깨끗하고, 신선하고 고상한 모든 것에 대한 감각'을 기억했다. 그녀가 성장했던 오바진의 고아원은 아주 큰 관심을 불러일으키는 창작품인 그녀의 '짧은 검정 드레스'에 드러나 있다. "고아원의 흰색 블라우스는 빨고 또 빨아서 언제나 깨끗했다. 박스 플리티드 스커트의 주름들은 검은색이다. 그래서 그들은 그 스커트를 입고 활보할 수 있었고 스커트는 수명이 오래갔다. 수녀들의 베일은 검은색이고 수녀들의 옷에는 손수건을 숨길 수 있을 정도로 폭이 넓은 소매가 달려 있다. (…) 하지만 수녀들의 머리에 둘렀던 풀을 먹인 띠와 주름 장식처럼 넓은 가슴에 꽂는 수건은 흰색, 새하얀 색이었다. 긴 복도도 흰색이고 백회 칠을 한 벽도 흰색이다. 하지만 기숙사의 큰 문은 검은색이다. 여러분이 그 문을 본다면 여러분의 기억 속에 항상 남아 있을 정도로 짙고 고상한 검은색이다." 학교는 그녀에게 흔적을 남겼다. "첫눈에 중요하지 않은 것처럼 보이는 세 가지 것이 그녀에게 영원히 깊은 인상을 남겼다. 즉 리세 거리의 학생들의 옷깃, 헐렁한 나비넥타이 그리고 학생들이 입은 겉옷의 검은색."

그녀가 여성 모자를 제작하는 사람으로 일했던 비시[12]에서 그녀는 이미 당시 기적을 통해 당대의 불합리에서 벗어난 사람처럼 영향을 끼쳤고 '단순함을 지향하는 용기'로 다른 사람들에게

---

12 프랑스 중부 오베르뉴-론-알프에 있는 도시. (옮긴이 주)

깊은 인상을 남겼다."[13]

　그녀가 횡단한 모든 공간에서 샤넬은 결국 자신의 스타일의 특징이 될 것을 받아들였다. 그녀의 유년 시절에서는 실용성과 소박함을, 경마, 테니스 경기장, 해변의 리조트, 부자들의 요트 여행, 선원들의 줄무늬 셔츠, 어부들의 재킷, 러시아 농부들의 수 놓은 가운 같은 겉옷에서는 스포티함을 받아들였다. 그녀는 부 득이하게 해야 하는 일을 자신에게 도움이 되게 했고, 전쟁 중에 저지 직물로 새로운 스타일을 만들어 냈다. 하지만 샤넬 넘버 파 이브로 결정할 때처럼 완벽함이 중요할 경우에는 비싼 가격도 꺼리지 않았다. 그녀는 '발레 뤼스'의 무대 디자이너들과 의상 디 자이너들에게서 영감을 얻었고, 자신의 패션을 무대에 올렸다. 1924년 6월 13일 초연됐고, 해변의 정사(情事)를 다루었던 장 콕 토, 다리우스 미요 그리고 세르게이 디아길레프의 발레 「푸른 기 차」에서 해수욕하는 사람들, 테니스 선수들, 골프 챔피언들이 무 대의상이 아니라, 샤넬이 디자인했던 실제 옷을 입고 등장한다. 다리를 노출하고, 테니스화와 골프화를 신고, 수영복을 입은 실 제 스포츠 선수들이 등장한다.[14]

　샤넬의 모토는 "언제나 제거하는 것, 언제나 조금씩 줄이는 것, 절대 덧붙이지 않는 것 (…) 유일한 아름다움은 몸의 자유이

13　Charles-Roux: Coco Chanel, 63, 76, 93, 69쪽.

14　「푸른 기차」와 일반적으로 디아길레프에 대해서는 Jane Pritchard(Hg.): Diaghilev and the Golden Age of the Ballets Russes 1909-1929, London 2011을 참조하시오.

| 가브리엘 샤넬이 만든 옷을 입은 장 콕토의 「푸른 기차」의 한 장면

다"였다.[15] 1924년 6월 24일 초연이 끝난 후에 해리 그라프 케슬러는 이렇게 기록했다. "발레는 가장 현대적인 삶의 동화 같은 변형, 오늘의 일상의 시(詩)로의 변신, 특히 현대 스포츠의 시로의 변신: 테니스 선수, 곡예사, 체조 선수, 레슬링 선수, 수영 선

15   Charles-Roux: Coco Chanel, 277쪽.

수 등." 그는 '띠 장식 같은 그룹 편성', '그리스적이며 초현대적인 느낌을 준', '위대하고 마음을 사로잡는 아름다움의 이미지들'에 대해 열광적으로 썼다.[16]

나데즈다 라마노바는 옷과 패션이 계급투쟁의 문제가 됐던 환경에서 살았다. 백군과의 내전이 끝난 후에 일상생활의 습관적 행동이 돌아왔고, 의류 산업과 섬유 산업은 다시 제자리로 돌아갔다. 그리고 의류 산업과 패션 산업과 함께 패션도 제자리로 돌아갔다. 케르스텐 니트웨어 공장은 '적기(赤旗)' 공장이 됐다.[17] 1920년대는 신여성을 위한 옷을 얻으려는 투쟁이 된다. 투쟁의 결과가 처음부터 결정되지는 않았다. 20세기 스타일의 역사에서 가장 매혹적인 한 장(章)의 세계는 신경제정책의 혼란한 상황 덕분에 존재한다. 10년의 전쟁, 혁명과 내전의 혼란에 창조성의 폭발이 뒤를 잇는다. 그 덕분에 혁명 이전 시기의 패션 문화가 새로운 삶을 일깨우려는 것처럼 되살아났고, 패션 형태를 둘러싼 투쟁은 계급 사이의, 새로운 것과 옛것 사이의, 과거와 미래 사이의 투쟁으로 치열하게 벌어졌다. 하룻밤 사이에 옛 시설, 영화관, 카바레 등이 다시 '옛날 사람들'과 새로운 '신경제정책으로 탄생한 부르주아'로 가득 찼듯이, 전쟁 이전 패션의 과시적인 요소들이 돌아왔고 언제나 인기 있는 춤인 탱고, 폭스트롯, 투스텝을 위해 갱신됐다.

---

16 Harry Graf Kessler: Das Tagebuch 1880-1937. Achter Band, Stuttgart 2009, Eintrag vom 24. Juni 1924.

17 Viktorija Sevrjuchova: Sovetskoe bel'e, in: A. Golosovskaja/V. Zuseva (Hg.): Sovetskij stil'. Vremja i vešči, Moskva 2009, 42쪽.

풍경은 게오르게 그로스가 '황금의 20년대'의 베를린에서 그린 풍경과 그다지 다르지 않았다. 그로스가 그린 풍경은 반짝이 장식 드레스, 깊이 파인 노출이 심한 옷, 깃털 목도리, 매끈한 실루엣이 달리고 허리선은 없는 야회복, 긴 궐련용 파이프, 스톨, 전쟁 공산주의의 근육질의 프롤레타리아 형상과는 달리 양성(兩性)의 특징을 지니고 메트로섹슈얼한 요소들을 강조했던 옷 등이다.

최초의 소련 재봉 실험실을 설립한 후, 1919년 초에 나데즈다 라마노바는 몰락한 세계의 패션과의 작별에 대한 자신의 생각을 분명하게 표현했다. 혁명적인 옷은 화려하고 사치스러워서는 안 되고, 무엇보다도 실용적이어야 한다. 혁명적인 옷은 불필요한 장식─장식, 장신구, 너무 비싼 재료─이 없어야 하며 부유한 계층이 아니라, 국민 전체를 위한 일상 문화의 향상에 기여해야 한다. 여성은 남성의 장신구 역할에서 벗어나야 한다. 신여성의 옷을 위한 실험 현장은 극장 무대였다. 이 무대에서 새로운 옷의 원형이 구체적으로 제시될 수 있었다. 여기에서 '발레뤼스'의 의상 디자이너들에서 시작해서 니콜라이 예브레이노프, 프세볼로트 메이예르홀트, 알렉산드르 타이로프 같은 소비에트 전위 예술의 사치스러운 옷에 이르는 길이 연결된다. 알렉세이 톨스토이가 기획한 SF 영화 「아엘리타」(1924년)에 나오는 추상적이고 기하학적인 옷도 아방가르드 패션의 실증으로 이해될 수 있다. 형태의 급격한 축소를 의도했던 바바라 스테파노바와 류보프 포포바와 같은 화가들은 이제 옷감과 옷 디자이너로 두각

을 나타냈다. 그들은 이때 러시아 민속예술과 전통문화에서 발견되는 색과 선을 이용했다.[18]

두 개의 유사하지만 아주 다른 생산 라인은 1925년 파리에서 열린 '장식 미술과 현대 공예 국제 전시회'에서 만났다. 1900년의 대규모 박람회가 끝나고 25년이 지난 후 열린 이 전시회는 파괴적인 전쟁이 끝난 후 프랑스의 지도적 역할과 부활을 증명한 것으로 받아들여졌다. 프로그램은 극히 야심적이었으므로 최신의 예술과 기술만 전시하기로 했다. 정치적 의도를 지녔다는 이유로 독일 제국의 대표들은 초대받지 못했고 소련의 대표는 초대받았다. 소련 전시관은 가장 큰 관심을 끌었다. 콩코르드 광장과 알마 광장 사이에 있는 그랑 팔레와 전시관을 찾은 수백만 명의 방문자들에게는 동시대 예술의 풍성한 전시가 제공됐다. 건축과 디자인이 중점이 되었다. 콘스탄틴 멜니코프와 르 코르뷔지에가 설계한 전시관은 엄청난 인기를 끌었다. 엘 리시츠키, 알렉산드르 로드첸코와 나데즈다 라마노바와 관련이 있는 그래픽 디자인, 포스터 아트와 패션 등도 대인기였다. 가장 단순한 재료들로 만든 직물, 옷, 장난감, 장신구 등은 서방 대중의 마음을 사로잡았고 대상과 수많은 메달을 수상했다. 이것은 아주 큰 기대를 거는 분위기는 아니었지만 소비에트 러시아 전반에 대해 개방적인 분위기였기에 가능했다.[19]

---

18 Konstantin Rudnitsky: Russian and Soviet Theater 1905-1932, London 1982.

19 1925년 박람회에 대해서는 Frank Scarlett/Marjorie Townley: Arts Décorqtifs. A Personal Recollection of the Paris Exhibition, London, 1975. "Art Deco: 1910-1939", Katalog zur Ausstellung 27. März-20. Juli 2003 im Victoria&Albert Museum London; Axel

1925년 박람회는 아르누보(새로운 예술)를 남겼다. 바우하우스는 대단한 인기를 끌었다(독일에서 아무도 공식적으로 초대받지 못했지만). 르 코르뷔지에, 입체파, 이집트와 멕시코에서 영감을 받은 예술이 토론의 주제였다. 박람회는 그다음 시대에 이름을 부여했다. 그 이름은 아르 데코[20]이다. 1922년에 패션 회사와 향수 회사를 설립했던 폴 프와레는 '아무르(사랑)'라는 이름의 전시관에서 향수-피아노를 연주해서 관객들에게 향수를 뿌렸다. "박람회에는 '우아함의 궁전'도 있었다. 이 행사의 특별한 점은 장 파투, 샤넬, 잔느 랑방과 루이즈 불랑제의 옷이 프와레의 직물, 견직물, 전등, 가구, 랄리크의 크리스탈, 뒤낭의 질그릇, 카르티에의 장신구, 크리스토플의 금제품과 은제품, 철제품, 프랑스와 외국 도자기 등이 함께 선보였다는 사실이다. 이때 전제 조건은 옷의 선과 물체의 형태가 깨끗해야 하고 장식은 소박해야 하며 돋을새김은 과장되지 않아야 한다는 것이었다. '아르 데코'의 성공은 반박의 여지가 없다."[21] 그것은 한편으로는 현란하고 민속적인 것, 이국적이며 미지의 것과 '원시의 것'에 대한 동시대의 매혹이었고 다른 한편으로는 생산 미학의 급진성이었다. 이 때문

　　Madsen: Sonia Delaunay. Artist of the Lost Generation, New York 1989; 1925년 전시회에 대해서는 Vesmirnaja vystavka: https://ru.wikipedia.org/wiki/Vesmirnaja_vystavka_(1925)(2019.3.18.)를 참조하시오.

20　아르 데코는 시각 예술 디자인 양식으로 제1차 세계대전 이후 프랑스에서 출현했다. 기존의 전통적 수공예 양식과 기계시대의 대량생산 방식을 절충한 스타일인 아르 데코는 주로 풍부한 색감과 두터운 기하학적 문양 그리고 호화로운 장식성으로 대표된다.(옮긴이 주)

21　Charles-Roux: Coco Chanel, 288쪽. Strizhenova: Soviet Costumes and Textiles 1917-1945, 97-132쪽.

에 박람회에서 소련 디자인, 패션 그리고 건축은 큰 관심을 끌었다. 1925년 박람회가 샤넬에게 의미했던 것은 무엇인가? 그녀가 내놓은 디자인과 액세서리는 전 세계에 센세이션을 일으켰다. 1926년 미국의 패션 잡지『보그』는 미국 자동차 생산 회사를 암시하여 샤넬의 '짧은 검정 드레스'를 '샤넬 포드'라고 불렀다. 포드는 기능적인 자동차로써 사치품을 많은 사람이 구매할 수 있는 상품으로 바꿔 놓았고, 샤넬은 단순하고 우아한 짧은 검정 드레스로 '패션의 포드'를 창조했다.[22] 라마노바 역시 기호와 품질이 결합되고 대량생산 덕분에 평범한 사람들도 접근할 수 있던 패션의 유형을 대변했다. 한편으로 포드는 프랑스 고급 양장점의 기준이었고 다른 한편으로는 소련 산업화 프로젝트의 상징이었다. 집단농장에 포드가 생산한 트랙터가 있었으며, 자동차 도시 니즈니 노브고로드는 '러시아의 디트로이트'라는 별명을 얻었다. 이러한 징후들은 제3의 실력자인 미국이 이미 지평선에 나타났다는 것을 가리킨다.

---

22 Charles-Roux: Coco Chanel, 289쪽.

샤넬의 러시아 커넥션

샤넬이 좁은 세계를 떠나 넓은 세계로 들어서는 길을 열어 주었던 사회 저명인사들을 알게 된 것은, 그녀가 아무리 재능이 있어도 쉽게 일어나는 일이 아니었다. 여성 모자를 제작하는 샤넬과 같은 사람이 그러한 교분을 쌓으려면 자신의 첫 번째 부티크를 여는 데 도움을 주었던 부자 애인(보이 카펠)을 만나야 했고, 아울러 프랑스 총리 조르주 클레망소와 영국의 미래를 짊어질 윈스턴 처칠과 관계를 맺을 수 있는 공간이 필요했다. 패션 디자이너가 영국 최고 부자인 웨스트민스터 공작을 만날 수 있는 공간들이 존재해야만 했다. 샤넬은 웨스트민스터 공작의 영지에 자주 머물렀고, 그곳에서 혁명 이전에 한 조향사가 상트페테르부르크로 돌아온 것을 기억하고 있던 차르 황실에 속한 사람을 만났다.

벨 에포크의 세계가 그 모든 의식 절차와 습관 그리고 돈을 갖고 모였던 장소가 존재했다. 전쟁과 혁명에 열중한 사회의 난파당한 사람들이 피난했던 장소가 존재했다. 가장 예민한 동시대인들, 즉 전 세계에서 온 예술가, 작가 그리고 화가들이 시대의 첨단을 걷고 싶을 때 모여들었던 장소가 존재했는데, 그것은 제1차 세계대전의 참화에서 벗어나 또다시 찬란한 빛을 발했던 '19세기의 수도'인 파리였다. 19세기 중반부터 열렸던 세계박람회들 중에서 1900년, 1925년 그리고 1937년에 파리에서 열렸던 박람회가 확실히 대중에게 가장 깊은 인상을 남겼다. '세기말' 박람회의 한복판에는 전례 없는 기술 발전을 보여 주었던 에펠탑이 있었다. 1925년 박람회는 '20세기의 대재난' 때문에 생겨난, 변화된 세계를 받아들이려는 야망을 품었다. 1937년의 박람회에서는 소련 전시관과 독일 전시관이 에펠탑의 그림자에서 벗어나 장엄함과 전체주의 특성의 새로운 차원을 가리켰다.

수백만 명의 사람들이 세계와 그 미래를 보려고 파리에 몰려들었다. 임대료를 받아먹고 사는 부자들과 '어제의 세계'(슈테판 츠바이크)에 등장하는 게으른 부자들, 모든 것을 구입할 능력이 있는 사치와 패션 애호가들이 파리에 도착했다. 이들은 모두 겉에 광택제를 바른 질서가 잡힌 세계 밑에서 괴물 같은 것이 꿈틀거리고 있는 것을 알고 있었다. 이상론자, 종말론자, 히스테리 환자, 예언자, 실험자, 지하의 정서와 흐름과 접촉했던 사람들과 전 세계로부터 유럽에 도달하는 해방 운동, 반란, 대학살, 암살, 자연재해와 전대미문의 발명이라는 신호를 듣게 됐던 사람들이 파리에 도착했다. 유럽이 전성기에 이룩했던 것을 또다시 보고자 관광객들이 전 세계에서 왔다.[01]

---

01 Walter Benjamin: Passagen-Werk와 Patrice Higonnet: Paris-Capital of the World, Cam

대학, 아카데미와 카페에서 논의된 것을 주의 깊게 듣고 동시에 유럽에서 벗어나는 것을 배웠던 아프리카 사람들과 아시아 사람들이 도착했다. 또 어니스트 헤밍웨이와 거트루드 스타인 같은 미국 사람들이 있었다. 그들은 자기 자신과 '잃어버린 세대'를 찾기 위해서 루브르를 돌아다녔고 카페에 앉아서 미국 사람들이 그들에 앞서 고유의 생활 방식을 가졌다는 사실을 확인했다. 물론 영국인과 독일인도 있었다. 그들은 당연히 완벽한 프랑스어를 구사했으며, 조금 더 세련된 이 생활 방식의 핵심을 자기들 나라로 가지고 가고 싶어 했다.[02]

사실 유럽의 문화 강국으로 파리에서 맨 처음 뽐내면서 모습을 드러냈던 사람들은 러시아 사람들이었다. 그들은 혁명 이후에 파리에서, 외국에서, 국경을 넘어 서로 만났다. 파리에서가 아니라면 그러지 못했을 것이다. 그들 모두는 자신들의 환경에 특별한 영향을 끼치게 될 전쟁 이전과 이후의, 위대한 혁명 이전과 이후의 러시아 무대를 함께 만들었다.

파리는 제1차 세계대전 이전에 이탈리아와 함께 러시아 여행객들의 가장 중요한 목적지였다. 귀족들은 어느 정도 규칙적으로 지중해 해안 피서지에 마음이 끌렸다. 해마다 러시아 정교와 회당을 포함한 가장 까탈스러운 요구를 충족시키는 서비스 산업과 사치품 산업을 구비한 러시아 식민지들이 칸에 있는 코트다

---

bridge/Mass. 2005.

02 1920년대 파리에 대해서는 Ernest Hemingway: Paris, ein Fest fürs Leben, Reinbek bei Hamburg 2011을 참조하시오.

쥐르, 산레모, 안티베와 니스, 그리고 대서양 해안의 비아리츠와 도빌에 갑자기 나타났다. 전쟁이 시작된 이후, 특히 러시아 혁명 이후 이 부유한 관광객들이 사라지면서 해안 피서지들은 심각한 경제적 타격을 입었다. 학업 목적의 관광이 급속히 성장한 분야였고 파리는 여행자들의 유럽 대륙 순회 여행의 하이라이트였다. 관광 명소, 호텔과 다른 시설에 대한 설명은 당시의 러시아 여행 안내 책자에 보존되어 있다. 철도망의 확장, 특히 상트페테르부르크에서 파리로 가는 북유럽 급행열차는 이전에 서로 멀리 떨어져 있던 세계 사이에 관계와 교류를 강화했다. [03]

프랑스는 대혁명 이후 전 세계의 정치적 반체제 인사들과 자유의 전사들에게는 피난처였으며, 파리는 19세기 이후 러시아 혁명가들의 망명 장소였고 지식인들의 학습 장소였다. 온갖 성향의 혁명적 민주주의자들, 야당 인사들은 런던과 제노바와 함께 파리를 차르에 반대하는 저항의 중심으로, 출판, 만남의 장소와 훈련의 중심으로 만들었다.

인상주의 빈 분리파와 상징주의에서 다다이즘과 그 이후 초현실주의 등의 다양한 사조에 이르기까지 모든 새로운 물결들이 파리에서 출현한 것처럼 보였다. 사람들이 상트페테르부르크, 리가, 키이우, 바르샤바에서 파리로 왔고, 또 이곳에서 러시아 혁명이 일어나기 몇 년 전에 신기원을 이루는 예술가들과

---

03 북유럽 급행열차에 대해서는 Jan Musekamp: From Paris to St. Petersburg and from Kovno to New York. A Cultural History of Transnational Mobility in East Central Europe, Habilitationsschrift an der Kulturwissenschaftlichen Fakultät der Europa-Universität Viadrina, Frankfurt/Oder, 2016년 6월을 참조하시오.

레온 박스트가 1906년에 그린 디아길레프와 유모(나니)

러시아 지식인들—비테프스크에서 온 마르크 샤갈, 키이우에서 온 알렉산드라 엑스테르, 모스크바에서 온 미하일 라리오노프—을 볼 수 있었다. 이 '파리 유파'를 대표하는 사람들의 작품은 20세기 말에 재발견됐고 퐁피두 센터에서 열린 '파리-모스크바 1900-1930'과 같은 중요한 전시회에 전시됐다.[04]

파리에서 러시아의 존재를 부각하고 러시아의 세계적인 영향력을 과시한 하이라이트는 다재다능한 천재이며 기획자인 세르게이 디아길레프가 창단한 발레 뤼스(러시아 발레단)의 '러시

04 Ilja Ehrenburg: Menschen, Jahre, Leben, Autobiographie, 2 Bände, München 1962; Il'ja Ėrenburg: Moj Pariž, Moskva 1933 (Reprint Göttingen 2005); Paris-Moscou, Katalog der Ausstellung 1979 des Centre Pompidou; Vita Susak: Ukrainian Artists in Paris 1900-1939, Kyiv 2010.

아 시즌'이었다. 1906년에 러시아를 떠나기 전까지 상트페테르부르크 제국 극장 극장장, 전시회 큐레이터와 주도적인 예술 잡지의 발기인이었던 디아길레프는 다름 아닌 바로 모든 장르(음악, 춤, 언어, 그림)의 예술가들—작곡가인 이고르 스트라빈스키, 다리우스 미요, 에릭 사티와 세르게이 프로코피예프, 안무가이며 무용수인 레오니드 마신, 세르주 리파르, 보리스 코치노와 바츨라프 니진스키, 발레리나인 안나 파블로바, 타마라 카르사비나와 브로니스와바 니진스카, 화가인 파블로 피카소, 후안 그리스, 페르낭 레제, 살바도르 달리, 레온 박스트와 알렉산드르 브누아 그리고 의상 디자이너인 가브리엘 샤넬—이 가담했던 압도적인 종합예술 작품의 창작에 성공했다.

　'러시아 시즌'은 음악사를 만들었던 초연(初演)들—'봄의 제전', '불새', '세 개의 오렌지에 대한 사랑', '결혼식', '강철의 발걸음'—을 만들었다. 공연은 예술적이었을 뿐 아니라, 전 세계에서 관객들이 모여들었던 사회적 사건이었다. 세르게이 디아길레프는 발레 뤼스와 함께 거의 쉬지 않고 파리, 몬테카를로, 런던, 베를린, 빈, 부다페스트, 부에노스아이레스, 뉴욕으로 순회 공연을 떠났다. 가브리엘 코코 샤넬은 300,000프랑을 기부함으로써 1920년에 '봄의 제전'을 다시 무대 위로 올릴 수 있게 했다. 죽음을 앞둔 디아길레프를 위해 품위 있는 고별식과 장례식을 준비하려고 베네치아로 떠난 사람이 샤넬이었다. 샤넬은 스트라빈스키 일가가 스위스에서 프랑스로 이주했을 때 자신의 대저택 '벨 레스피로'를 마음대로 이용하게 했다. 로마노프 왕조 출신이지만 프랑스에서 가난하게 사는 대공(大公) 드미트리 파블로비치에게도 피난처를 제공했다. 혁명 이후에 러시아에서 도망친 상류 사회 여성들은 이제 샤넬을 위해 모델로 섰을 뿐만 아니라 액세서리 전문가로 일했다.[05] 샤넬은 '러시아 물건들'로 둘러싸였고 믿을 만한 취향과 교양을 지닌 우아한 '옛사람들'과 깊이 연결되어 있음을 느꼈다.

러시아와 국제 세계가 파리 사회와 만나 교류했던 중심적인 장소는 살롱이었다. 이 점에서 중요한 살롱은 전설적인 미시아 세르트에 의해 운영됐다. 그녀는 폴란드 예술가 시프리안 고뎁스키의 딸로, 상트페테르부르크에서 태어나 최고 명문 학교에서 교육을 받고, 가브리엘 포레를 피아노 선생으로 둠으로써 전문 피아니스트로서의 길을 걸을 운명인 것처럼 보였다. 하지만 미시아 세르트는 영향력이 큰 신문의 발행인인 타데 나탄슨과 결혼하기로 결심했다. 그러나 그녀는 부유한 영국 출신 연인인 에드워즈와 결혼하기 위해서 결국 그를 떠났다. 그녀는 다시 10년 후에 카탈루냐 출신 화가로 파리와 미국에서 대단한 성공을 거둔 호세프 마리아 세르트와의 교분 때문에 에드워즈와 이혼했다. 호세프 마리아 세르트는 뉴욕 발도르프-아스토리아 호텔에, 제네바 국제연맹 본부 건물에, 특히 1937년 파리 세계박람회의 스페인 공화국 전시관에 프레스코 벽화를 그렸다. 미사 나탄슨과 미세즈 에드워드가 운영하는 살롱에서 많은 파리 사람

---

05 크리스 그린할의 소설을 토대로 얀 쿠넨은 영화 〈코코 샤넬과 이고르 스트라빈스키〉
를 연출했다. 이 영화는 2009년 칸에서 초연됐다.

들이 교제를 나누었다. 앙리 드 툴루즈 로트레크, 모리스 라벨, 에릭 사티, 폴 베를렌, 마르셀 프루스트, 장 콕토 등이 그런 사람들이다. 피에르 보나르와 펠릭스 발로통이 그녀의 초상화를 그렸다. 미시아는 샤넬에게서 깊은 인상을 받았다. 그녀에게 샤넬은 영혼이 통하는 사람이었을 것이다. 그녀는 샤넬을 디아길레프에게 소개했고, 삶의 마지막까지 샤넬과 친밀한 관계를 유지했다.[06]

프랑스는 제1차 세계대전에서 러시아의 동맹국이었고 반 볼셰비키 세력이 패배하고 난 이후 러시아 제국에서 도망한 이민자들이 처음 선택한 나라였다. 콘스탄티노플, 프라하, 베를린 그리고 하얼빈과 같은 도시들과 더불어 파리는 전쟁으로 입은 심각한 손실에서 방금 겨우 회복되기 시작했던 나라에 수천 명의 피난민이 함께 사는 '국경선 너머 러시아'의 중심이 되었다. 파리는 암살과 납치의 무대였다. 백군의 대표들은 소비에트 비밀 정보기관에 의해 납치되어 소련으로 끌려갔다. 그리고 트로츠키의 아들인 레프 세도프를 포함한 반 스탈린 좌익 반대 세력의 대표들은 소비에트 첩보원에 의해 추적당했다. 파리는 모든 것을 잃고 다시 시작해야만 했던 사람들이 지닌 수많은 개인적인 비극의 무대였다. 러시아에서 관리였던 사람들은 이제 택시 운전사 혹은 블로뉴-비양쿠르에 있는 르노 자동차 공장에서 노동자로 일했고, 귀족들과 여자 가정교사들은 이제 재봉사와 패션

06 Gold/Fizdale: Misia. Muse. Mäzenin. Modell; Pritchard: Diaghilev and the Golden Age of the Ballets Russes; Richard Buckle: Diaghilew, Herford 1984.

가게에 고용됐다. 러시아 이민자들은 학교, 신문과 출판사, 교회 공동체와 청소년 캠프로 구성된 자신들의 사회 기반 시설을 갖고 있었다. 역사학자 로버트 해럴드 존스톤은 러시아에서 탈출해서 파리에 사는 러시아인들의 공동체를 '새로운 메카, 새로운 바빌론'이라고 불렀다.[07]

이 중심지에서 사회적 환경과 가족 관계가 형성됐고, 결혼이 이루어졌다. 피카소와 올가 코클로바와의 결혼, 로맹 롤랑과 마리아 쿠다세바와의 결혼, 페르낭 레제와 나디아 코다세비치의 관계 혹은 폴 엘뤼아르, 막스 에른스트와 살바도르 달리의 인생의 동반자이며 뮤즈인 갈라(원래 이름은 옐레나 디아코노바)와의 관계는 이국적인 예외가 아니었다. 여기서는 국경을 넘나드는 취향과 스타일이 합쳐졌다.

에르네스트 보는 평생 당연하다는 듯이 국경을 넘나들었던 사람의 상당히 전형적인 예이다. 그는 모스크바에서 태어나 러시아에서 성장했고, 프랑스 향수 회사 랄레에서 훈련받고, 혁명 이후 '첫 고향'으로 돌아왔다. 가브리엘 샤넬과 에르네스트 보의 만남은 대공 드미트리 파블로비치 로마노프가 주선했다. 그는 몇 년 전부터 프랑스에 살고 있었고, 알렉산드르 2세의 손자이자 알렉산드르 3세의 조카이며 마지막 차르의 사촌으로, 영국 출신 보모에 의해 양육됐고, 크렘린에서 여동생과 함께 그리고 모

07 Robert H. Johnston: New Mecca, New Babylon-Paris and the Russian Exiles 1920-1945, Montreal 1988; Catherine Gousseff: L'exil russe. La fabrique du réfugié apatride, Paris 2008.

스크바 총독이었던 삼촌과 함께 성장했다. 외부 관찰자이지만 파리 사교계를 가장 잘 알고 있던 해리 그라프 케슬러는 샤넬과 드미트리 파블로비치와의 관계를 이렇게 묘사했다. 드미트리는 "파리에서 사는 동안 차르의 왕관을 버렸다." 케슬러는 이렇게 썼다. "드미트리는 즉시 내 옛 여자 친구 미시아 에드워즈(세르트)의 친구이자 '코코'로 불리는 대단히 부유한 매춘부이며 재봉사인 샤넬과 만났고, 이 관계를 통해서 다시 돈을 벌었다. 즉 그는 '코코'에 의해 부양을 받았다". 케슬러는 디아길레프에 대해서도 말한다. "디아길레프는 코코와 막역한 사이가 됐으며 그녀에게 발레 공연을 위한 돈을 빌렸다." 케슬러는 코코가 미시아와 함께 분위기를 잡았던 성대한 파티에 대해서, "캐비아, 푸아그라, 과일, 거대한 햄이 차려진 환영 연회"(1924년 1월 16일 일기)에 대해 말한다.[08] 보통 너무나 정확하고 통찰력 있었던 그라프 케슬러가 유럽에 산재한 자신의 지인들을 평가하는 데 샤넬의 경우처럼 틀렸던 적은 아주 드물었다.

코코 샤넬과 러시아 사교계의 밀접한 관계는 키트미르 패션 전문 기업의 창업자인 대공비 마리아 파블로브나와의 직접적인 협력에서 분명히 드러난다. 샤를-루는 이렇게 쓴다. "양질의 모직물로 만든, 스트레이트 스커트 위에 입는 몸에 딱 달라붙는 '루바슈카(러시아 민족의상)'는 옷깃과 옷소매에 눈에 띄지 않게 수를 놓은 줄무늬가 있다. 이 의상은 그 전체적인 개성은 러시아

08 Kessler: Das Tagebuch 1880-1937. Achter Band, Eintrag vom 1924. 1. 16.

토양에서 왔지만, 그 형태는 전형적인 파리식이었다. (…) 루바 슈카라는 아이디어는 충분히 수용되어서 샤넬은 자수-작업장을 설치했다. 그 작업장은 대공비 마리아에게 맡겨졌다."[09] 페르시아의 전설적인 상상의 동물의 이름을 따서 명명된 키트미르는 1925년 박람회에 나타났고, 1920년대 파리와 베를린과 극동의 하얼빈과 같은 또 다른 이민의 중심지에서 러시아 이민자들에 의해 설립된 수많은 패션 아틀리에들 가운데 하나였다. 마리아 파블로브나 로마노바는 제1차 세계대전 이전에 스웨덴 왕자와 결혼했지만 불행했으며, 혁명 이후 키이우, 오데사, 콘스탄티노플, 부쿠레슈티와 런던을 거쳐 결국 파리에 정착했고, 1921년 파리에서 남동생 드미트리 파블로비치 로마노프를 통해 코코 샤넬을 만났다. 가장 가까운 친족들의 운명—그녀의 아버지는 상트페테르부르크에서, 그녀의 가장 가까운 친척들은 크림반도에서 처형당했다—에 정신적 충격을 받았지만, 그녀는 아주 적극적으로 사업가의 수완을 발휘해서 자신의 패션 아틀리에를 설립했다.

러시아 귀족 가문들의 또 다른 위대한 이름들—오볼렌스키 가문, 유수포프 가문, 돌고루키 가문, 바흐메티예프 가문—이 당시 파리 패션계에서 종종 발견된다. 상트페테르부르크와 모스크바 사교계 출신인 그들은 사치와 패션의 세계에 익숙했다. 가정교사의 경험 덕분에 그들의 제1 언어는 러시아어가 아니라 프

09 Charles-Roux: Coco Chanel, 244쪽.

랑스어였다. 러시아의 아름다움은 우아함의 상징이었다. 갈리 바셰노바, 뉴사 로트반트 그리고 레이디 아브디와 같은 모델들이 패션 잡지 『하퍼스 바자』와 『보그』의 페이지를 장식했고, 그들의 사진은 알렉산더 리버만 그리고 조지 호이닝겐 후에네 남작과 같은 중요한 패션 사진작가들 혹은 에르테(원래 이름은 로만 티르토프)와 같은 유명한 패션 일러스트레이터가 촬영했다. 그들의 값비싸고 이국적인 창작품들—자수품, 러시아 코코쉬닉 형태의 머리에 쓰는 보석 장식 금속 띠, 샤프카, 숄, 비싼 모피로 만든 코트, 진주 목걸이와 벨트, 민속 의상을 입은 인형, 파라솔, 진기한 소형 가방—은 수수께끼 같은 동양에 대한 서양의 투영에 맞춰 조정됐고 특권층의 아름다움에 대한 광범위한 욕구를 충족시켰다.[10]

마리아 파블로브나와 같은 여성들은 혁명으로 인해 자신들의 자리와 지위를 상실한 남성들보다 망명의 고충을 더 잘 해소할 수 있었다. 망명이라는 가혹한 시련은 그 여성들 가운데서 생존에 성공한 예술가를 만들어냈다. 그들은 새로운 영역에서 능력을 보여 주었다. 예를 들면 마리아 파블로브나는 '이고르 왕자'라는 상표로 자신의 향수를 만들어 냈다. 또 그들은 미국 시장을 정복하기 위해 준비했다. 샤넬이 볼셰비키의 정책에 혐오감을 가졌던 이유는 정치적이라기보다는 미학적이었다는 사실을 증명하는 자료들이 넘친다.

---

10 모든 내용은 Vasil'ev: Krasota v izgnanii, 151쪽 이하. (Kitmir 단락)에 따른 것이다. 그리고 Vasil'ev: Russkaja moda, Moskva 2004를 참조하시오.

'19세기의 수도'인 파리가 이전에 상트페테르부르크와 모스크바에 수출했던 것이 러시아 피난민들과 망명자들이 택한 길을 따라 파리로 되돌아왔다. 피난민들 중에는 전설적인 러시아 사업가들과 예술 후원자들이 있었다. 그들은 피카소, 마티스, 반고흐 그리고 세잔이 세계적으로 성공하기 훨씬 전에 이들의 작품을 구입해서 자신들의 집에 전시했다. 전설적인 미술품 수집가인 세르게이 슈킨과 이반 모로조프는 러시아를 떠나 외국에서 (슈킨은 1935년 파리에서, 모로조프는 1921년 체코의 카를로비바리에서) 사망했지만, 당시 세계에서 가장 큰 규모인 그들의 근대 프랑스 미술 컬렉션은 볼셰비키 정부에 의해 몰수되어 소련에 남아 있게 됐다. 이 컬렉션은 유럽 근대의 위대한 시기의 파리-모스크바 축(軸)을 기억하게 하며 오늘날까지 에르미타주 박물관과 푸슈킨 박물관의 인기 있는 볼거리이다.[11]

---

11 슈킨과 모로조프 컬렉션에 대해서는 에센, 모스크바, 상트페테르부르크에서 열린 전시회 카탈로그를 참조하시오. Ot Mone do Pikasso: Kollekcionery Ščukin i Morozov, Köin 1993.

모스크바의 프랑스 커넥션?

'노동자들의 조국'과
미하일 불가코프의 흔적

러시아 귀족들, 부르주아 지식인들과 백군(白軍)에 소속된 군인들이 러시아 혁명을 피해 도주해서 파리로 피난했던 반면, 러시아 혁명이 새로운 세계를 가져오리라고 희망했던 사람들은 동쪽으로, 모스크바로 이동했다. 혁명의 러시아는 처음에 무엇보다도 제1차 세계대전이라는 '강철 폭풍'[01]에서의 탈출을 대변했다. 차르 정부와 그 뒤를 이은 임시 정부의 몰락은 대학살을 끝낼 가능성을 제시했다. 전쟁은 수백만 명의 사람을 죽였고, 수천수만 명의 사람을 불구로 만들었으며, 이 대학살이 끝난 이제 모든 세대는 평화로운 삶으로 되돌아갈 길을 찾기를 희망했다. 무엇보

---

01 작가 에른스트 윙어는 1895년 독일 하이델베르크에서 태어나 1998년에 만 103세로 작고했다. 그의 개성과 작품은 제1차 새계대전 참전으로 특징지어졌다. 그는 특히 『강철 폭풍 속에서』와 같은 전쟁 체험 작품, 환상소설과 단편소설, 다양한 에세이로 유명하다. 그의 소위 보수 혁명으로 분류되는 엘리트적, 반시민적 그리고 민족적인 초기 작품에서 윙어는 바이마르 공화국과 결연하게 싸웠다. 그는 나치당에 가입하지 않고 나치당의 인종차별주의 이데올로기를 거부했지만, 1945년 이후 나치즘의 지적인 선구자로 간주됐고 논란이 분분한 독일 작가들 가운데 한 사람이다. 아직도 학자 및 독자들 사이에서는 윙어가 전쟁을 찬양한 작가였는지 반전 작가였는지, 혹은 히틀러 정권에 저항했는지 찬성했는지 논쟁이 분분하다. (옮긴이 주)

다도 혁명이 전쟁을 최종적으로 끝낼 것이라는 희망 때문에 많은 사람들이 신생 소비에트 정부에 관심을 집중했다. 그들 중에는 피에르 파스칼 같은 '기독교 공산주의'의 작가들과 앙리 바르뷔스[02] 같은 급진적 파시즘 지지자들이 있다. 특히 여러 번 부상을 당한 참전 군인이며 소설가인 바르뷔스의 경우, 1935년에 사망할 때까지 러시아가 놓아주지 않았다. 그는 마지막까지 스탈린 전기를 집필했다.[03]

파시즘의 '열기'는 로맹 롤랑처럼 세계대전 이전에 이미 유명했던 작가를 러시아로 향하게 했고, 그는 체류 마지막 날에 스탈린을 예방했다. 소비에트 현실의 많은 모순을 간과하게 하고 나중에 스탈린 독재에 대한 기괴한 변명으로 급변했던 이상주의는 앙드레 지드와 같은 많은 부르주아 인문주의자들과 평화주의자들의 모스크바 방문을 부추겼다. 루이-페르디낭 셀린 같은 작가도 모스크바 방문 기회를 놓치려 하지 않았다.

제2인터내셔널에서 분리되어 공산주의 인터내셔널(코민테른 또는 제3인터내셔널)에서 정당을 만들었던 전투적인 사회주의자들은 또 다른 형태였다. 그들에게 모스크바는 평화의 당파가 아

---

02 프랑스 소설가. 상징과 말기의 시인. 처음에는 언론인이었다가 작가로 전향했다. 인간의 본능과 하층민의 비참함을 묘사한 소설 『지옥』으로 처음 주목을 받았다. 이후 병든 몸을 이끌고 제1차 세계대전에 참전, 종군 체험을 바탕으로 쓴 실화 소설 『포화(Le Feu)』로 명성을 얻었다. 이 작품은 프랑스 최고 권위의 문학상인 공쿠르 상을 수상하며 전쟁의 폭력성을 일깨운 걸작이라는 평가를 받았다. (옮긴이 주)

03 1930년대 모스크바에서의 '국제주의'에 대해서는 Katerina Clark, Moscow, the Fourth Rome; Michael David-Fox, Showcasing the Great Experiment; Ludmila Stern, Western Intellectuals and the Soviet Union 등을 참조하시오. 내게 프랑스 동조자들을 참고하게 해준 가보르 타마스 리터슈포른에게 감사를 표한다.

니라 내전의 당파였다. 그들은 소비에트 러시아를 위대한 실험의 시작으로 보았고, 볼셰비키 당파의 지도를 국제적인 규모에서도 아무 거리낌 없이 승인했다. 붉은 광장에서 장례식이 거행되고 크렘린 장벽 안에서 마지막 안식처를 찾았던 파리 코뮌의 살아남은 한 격렬한 투사는 말하자면 혁명적 노동운동이 동쪽으로 이동한 것을 상징했다. 모스크바를 오고 갔던 폴 벨랑 쿠튀리에, 모리스 토레즈 같은 프랑스 공산당 공동 설립자들은 당시 유명하고 인기 있던 지도자였다. 폴 벨랑 쿠튀리에는 1932년 『산업의 거인들. 새로운 삶의 건축가들: 5개년 계획을 추진하고 있는 소련에서의 9개월 여행』이라는 책을 출판했다.

사실상 파리-모스크바 축에서 가장 영향력 있는 인물들은 엄격한 의미에서는 공산주의와 별로 관계가 없었지만, 새로운 형태의 사회적 삶을 시험하려는 소비에트 실험에 동정적이었고 무엇보다도 소련을 자본주의와 임박한 전쟁에 맞선 동맹국으로 보았던 '동료 여행자'들이었을 것이다. 그들은 대체로 소련을 현실적으로 이해하지 못했다. 오히려 소련은 꿈의 나라이며 그들이 알았고 저항했던 자본주의 환경에 대한 '부정적인' 투영이었다. 그들 생각에 소비에트 러시아는 완벽하지 않았지만 적어도 의미 있는 일을 감행했고 적어도 자본주의보다는 작은 악이었다. '동료 여행자들'의 정신 상태를 대략 이렇게 설명할 수 있을 것이다. 많은 사람들은 소비에트 러시아에서 일어나고 있는 일을 보고 싶어 했다. 그래서 청년 크리스티앙 디오르와 이미 유명했던 엘사 스키아파렐리는 소비에트 러시아를 향해 나섰다. 다른 사람들은 실제로 이익을 가져올 기회를 이용했다. 예를 들면 르 코르뷔지에는 소비에트 궁전 건축 설계 경쟁에 참여했고, 심지어 모스크바에서 (자신의 소비에트 동료인 니콜라이 콜리와 함께) 중앙통계청의 건축이라는 구체적인 프로젝트를 완성했다.[04]

파리-모스크바 구간을 정기적으로 오고 갔던 사람들은 루이 아라공과 그의 아내이며 릴리랴 브릭의 여동생인 엘사 트리올레였는데, 그녀는 블라디미르 마야콥스키의 여자 친구로 스탈린 시대에 중요한 살롱 가운데 하나를 운영했다. 앙드레 말로, 장-리샤르 블로크와 폴 니장은 1934년에 열린 제1차 소비에트 작가회의에 참가했다. 루이 페르디낭 셀린은 1937년 레닌그라드를 방문했고, '학살에 대한 간단한 작품'이라는 제목의 반유대주의 성향의 팸플릿에서 그 방문에 대해 보고했다. 소련 여행을 아주 심각하게 생각했던 작가는 앙드레 지드였는데, 1936년 스포츠 선수들을 열병하기 위해서 묘(墓)의 난간 옆에 서 있었지만, 나중에 소련에 대한 자신의 순진한 이미지를 수정했다. 그로 인해 모스크바에 충성하는 좌파들의 미움을 받았다.[05] 이러한 프랑스와 러시아의 만남의 정점은 1935년 파리에서 열린 제1회 국제작가회의였을 것이다. 이 회의에 안나 제거스, 하인리

---

04 모스크바 궁전 건축 설계 경쟁에 대해서는 Karl Schlögel: Moskau lesen, Berlin 1984, 56-65쪽; Selim O. Chan-Magomedow: Pioniereder sowjetischen Architektur. Der Weg zur neuen sowjetischen Architektur in den zwanziger und zu Beginn der dreißiger Jahre, Dresden 1983을 참조하시오.

05 André Gide: Zurück aus Sowjetrussland. Retuschen zu meinem Russlandbuch, in: ders.: Gesammelte Werke VI, Reisen und Politik, Bd. 2, hg. von Peter Schnyder, Stuttgart 1996, 41-210쪽.

히 만과 클라우스 만, 베르톨트 브레히트 이외에 소련에서 일리야 에렌부르크와 보리스 파스테르나크와 같은 유명한 작가들이 참여했다. 하지만 모스크바에서의 사건들—처음에는 어리석은 자책(自責)을 하고 유명한 혁명가들을 처형한 전시용 공개 재판, 나중에는 몰로토프-리벤트로프 협정에 의해 촉발된 도덕의 붕괴—은 인민전선이라는 옛 좌파의 종말을 가져왔다. [06]

수십 년 동안 파리와 모스크바 사이에 구축됐던 관계의 흔적들이 역설적으로 미하일 불가코프[07]가 소련의 '신경제정책' 시기에 쓰기 시작해서 1930년대에 끝낸 소설 『거장과 마르가리타』[08]에 남아 있다. 소설에서 관련 있는 장(章)은 '흑마술과 폭

06 Manfred Sapper/Volker Weichsel(Hg.): Der Hitler-Stalin-Pakt. Der Krieg und die euro
   päische Erinnerung, Berlin 2009.

07 1891년 키이우에서 대학교수의 일곱 자녀 중 맏이로 태어났다. 키이우 의과 대학을 졸업하고 제1차 세계대전과 우크라이나 내전에서 군의관으로 복무했으며 적십자 의사로도 일했다. 내전이 끝난 후 모스크바로 이주해 잡지에 칼럼과 기사 등을 기고하며 글을 쓰기 시작했다. 1923년 전 러시아 작가 협회에 가입했고, 1926년 10월 첫 희곡 「트루빈 가족의 날들」을 성공적으로 상연한 데 이어 「조야의 아파트」도 같은 달에 상연했다. 그러나 내용이 반(反) 소비에트적이라는 이유로 비평가들에게 혹독한 비판을 받았으며 스탈린도 "불가코프는 우리 편이 아니다"라고 말했다. 1930년부터 1936년까지 중앙 노동 청년 극장에서 감독으로, 모스크바 예술 극장에서 감독 조수로 일하는 등 희곡 작가로 왕성하게 활동했다. 그러나 1936년 그가 감독한 작품이 상연 금지 조치를 받으면서 감독직을 사임하고 볼쇼이 극장에서 통역 겸 오페라 대본작가로 일했다. 1939년에도 스탈린에 대한 희곡을 썼다가 출간과 상연을 모두 금지당했다. 이즈음 건강이 몹시 악화되었으며, 병상에서 『거장과 마르가리타』의 최종본을 세 번째 아내인 엘레나 실룝스카야에게 구술했다. 1940년 3월 10일 사망했다. (옮긴이 주)

08 불가코프가 살던 시기의 소비에트 러시아는 1918년 공산혁명과 1919년부터 1921년까지 이어진 내전 때문에 소위 전쟁 공산주의에 입각하여 모든 물자를 군수품 위주로 생산하면서 생필품과 소비재가 부족해졌고, 농촌에서 생산한 식자재가 도시로 전달되는 데 차질이 빚어지거나 혹은 기근이 들기도 했다. 이러한 난국을 타개하기 위해 레닌은 1921년에 신경제정책을 시행하여 농촌에서의 소규모 시장 경제를 허용하면서 한시적으로 경제가 부흥하기도 했다. 그러나 1924년 레닌이 사망하고 정권을 잡은 스탈린은 중공업 위주의 정책을 펼쳤다. 이후 비누나 화장지, 양말, 치약 등의 소비재와 식료품은 만성적으로 부족해졌다. 『거장과 마르기라타』는 초자연적인 존재들

로'이다.[09]

이 장은 광대들, 팬티스타킹과 짧은 스커트를 입은 금발의 여자 무용수들, 키가 큰 조수와 검고 뚱뚱한 고양이와 동행한 마술사 무슈 볼란드의 공연을 소개하는, 얼굴에 하얗게 분을 바른 사회자 조르주 벤갈스키가 등장하는 버라이어티 쇼로 시작한다. 무대에서 그들은 모스크바 시민들이 외적으로나 내면적으로 어떻게 변했는지를 알아내고 싶다고 말한다. 온갖 종류의 마술이 뒤를 잇는다. 루블 지폐들이 천장에서 빙글빙글 돌면서 사방으로 흩어져 객석으로 쏟아졌다. 고양이는 벤갈스키의 머리를 자르고 머리를 마치 한 번도 떨어져 나간 적이 없었던 것처럼 정확하게 자기 자리에 도로 붙인다. 다음 마술에서 무대는 파리의 패션 부티크를 모방한 아틀리에로 변한다. 공연의 마지막에 옷을 훔쳐 사방으로 달아나는 여성들에 의해 무대 위는 난장판이 된다. 불가코프는 파리의 한 부분을 무대에 올린다.

"그러자 무대 바닥은 즉시 페르시아 융단으로 덮였고, 가장자리에 초록색으로 빛나는 조명을 두른 거대한 거울들이 나타났으며, 거울 사이로 진열장이 등장했고, 관객들은 즐겁게 경탄하며 진열장 안에 갖가지 색깔과 모양의 파리식 여성복이 걸려 있는 것을 보았다. 그것이 한쪽 진열장이었다. 다른 쪽 진열장에는 깃

이 등장하는 환상소설로 읽히기도 하고 초기 소비에트 러시아 사회를 풍자하는 사회 비판소설로 읽을 수도 있으며, 작가와 소설, 나아가 문학이라는 장르에 대한 메타텍스트로 볼 수도 있고, 선과 악, 예수와 신의 존재에 의문을 제기하는 종교적인 소설로 읽을 수도 있다. (옮긴이 주)

09 Michail Bulgakow: Der Meister und Margarita. 소설. Darmstadt/Neuwied 1973, 12장.

털이 달리기도 하고 안 달리기도 하고, 쇠 장식이 달리기도 하고 안 달리기도 한 수백 개의 여성 모자가 걸려 있었고, 검은 구두, 흰 구두, 노란 구두, 가죽, 공단, 스웨이드, 가죽 줄이 달리기도 하고 보석이 달리기도 한 수백 켤레의 구두도 놓여 있었다. 구두 사이로 향수 수백 병과 영양 가죽, 스웨이드, 비단으로 만들어진 여성용 가방이 산더미처럼 나타났으며, 그 사이로 또 부조를 새긴 가늘고 긴 금빛 상자가 무더기로 나타났는데, 그것은 립스틱이 든 케이스였다.

어디서 나타났는지 악마나 알 법한 빨간 머리 처녀가 검은색 이브닝 가운을 입고 등장했다. 목의 흉악한 상처가 전체적인 인상을 반감시키는 것만 빼면 모든 면에서 아름다운 처녀였고, 진열장 옆에 서서 여주인 같은 미소를 짓고 있었다.

파고트는 달콤하게 싱글거리며, 회사에서 완전히 무상으로 낡은 여성 의류와 신발을 파리식 디자인의 새 여성복과 구두로 교환해 준다고 선언했다. 그리고 가방과 기타 장신구도 똑같은 방식으로 바꿔 준다고 덧붙였다.

고양이가 뒷발을 비비기 시작했고, 동시에 타고난 수위처럼 앞발로 문을 여는 듯한 동작을 취했다.

처녀는 조금 목쉰 소리가 섞이기는 했지만 달콤하게, 분명치 않은 발음으로 뭔가 알아들을 수 없는 소리를 노래하듯 말했다. 1층 관객석에 앉은 여성들의 표정으로 미루어 대단히 매혹적인 말이 분명했다. '겔랑, 샤넬 넘버 파이브, 미츠코, 나르시스 누아르, 이브닝 가운, 칵테일 드레스…'

파고트는 굽신거렸고, 고양이는 절을 했고, 처녀는 유리 진열장을 열었다. '초대합니다! 부끄러워하실 것도 체면 차릴 필요도 없습니다!' 파고트가 고함쳤다. "회사에서 이것을 기념품으로 드리는 것이니 부디 받아 주십시오.' 파고트가 이렇게 말하고 갈색 머리 여성에게 향수병이 든 뚜껑 열린 상자를 주었다. '메르시.' 갈색 머리 여성이 오만하게 대답하고는 무대 옆 계단을 내려가 관객석으로 돌아갔다. 여성이 걷는 동안 관객들은 소리치며 향수병을 만지려고 손을 뻗었다."[10]

불가코프가 독자들이 샤넬 넘버 파이브에 친숙하리라고 추정했던 것은 확실하다. 그는 파리의 부티크 세계를 떠올리게 한다. 그리고 이 향기가 큰 역할을 한다. 관객은 열광하고 향수병은 마법의 상징이다. 극장 전체가 일종의 무아지경에 빠진다.

마술 공연의 전체적인 분위기, 관객의 태도, 무엇보다도 호명된 향수 브랜드는 1920년대와 '신경제정책'의 시장 자본주의를 생각나게 한다. 하지만 이 장에서의 실제의 사건은 알레고리로, 1930년대의 대혼란에 대한 암시로, 광란, 구원에 대한 갈망과 절망의 혼합으로, 진실과 거짓, 현실과 허구가 더 이상 구분될 수 없었던 숙청의 혼란에 빠진 사회적 무아지경의 상태로 이해될 수 있다.

---

10 Bulgakow: Der Meister und Margarita, 154쪽, 156쪽 이하, 159쪽.

오귀스트 미셸의 미완성 프로젝트:

소비에트 향수 궁전

1937년 5월에서 11월까지 파리는 또다시 '세계박람회'의 무대였고 수백만 명이 방문했다. 에펠탑의 실루엣 아래 마르스 광장에 건립된 독일 전시관과 소련 전시관이 크게 인기를 끌었다. 이 두 전시관은 두 세계, 두 체제의 충돌을 상징했다. 건축가 보리스 이오판이 디자인한 소련 전시관이 여봐란듯이 알베르트 슈페어의 나치 독일 전시관과 대결했다. 베라 무히나가 디자인한 노동자와 집단농장 여성 농부가 함께 돌진하는 조각을 건물 꼭대기에 설치한 소련 전시관은 그 입구에 아르노 브레커의 〈우애〉라는 제목의 기념비적인 조각—두 명의 벌거벗은 남성 형상—을 설치한 독일 전시관과는 대조적으로 하늘을 찔렀다. 두 개의 건축, 두 개의 체제, 두 개의 세계관. 향후 몇 년 동안 유럽의 운명을 결정할 힘의 과시였다.[01] 1937년은 세계를 혼란에 빠뜨린 해

---

01 Karl Schlögel: Terror und Traum. Moskau 1937, München 2008, Kapitel 'Moskau in Paris: Der Pavillon der UdSSR auf der Weltausstellung 1937', 267-297쪽.

| 세계박람회 포스터

였다. 전후 질서가 해체됐고 이미 전쟁 직전의 기운이 감돌았다. 1935년에는 무솔리니가 에티오피아에서 전쟁을 벌였고, 1936년에는 독일이 라인란트를 점령하고 재무장했다. 1938년에는 나치의 '올림피아'[02]가 베를린에서 개봉됐고, 오스트리아가 합병되었다. 반유대주의를 내세운 '수정의 밤'[03]에 집단 학살이 자행됐으며, 주데텐 지역이 독일에 합병되고 체코슬로바키아가 없어지는 결과를 가져온 뮌헨 협정이 체결됐다. 소련에서는 폭력적인 농업 집단화가 수백만 명의 사망자를 낳았고, 강요된 산업화와 대숙청의 혼란은 스탈린 독재 체제가 최종적으로 굳혀지기 전까

---

02 1938년에 개봉된 나치 독일의 스포츠 영화이다. 레니 리펜슈탈이 시나리오를 쓰고 감독하고 제작했다. 1936년 베를린 올림픽 경기장에서 열렸던 1936년 여름 올림픽을 기록한 영화이다. (옮긴이 주)

03 1938년 11월 9일~11월 10일 사이의 밤으로 나치 돌격대와 독일인들이 유대인 상점과 회당을 공격한 사건이다. (옮긴이 주)

지 수십만 명의 희생자를 낳았다.

같은 해인 1937년에 스페인은 내전에 휩쓸렸다. 파리 박람회에서 주제프 세르트가 설계한 스페인 전시관에 피카소의 게르니카 그림이 전시됐다. 프랑스에서는 대공황에 따른 위기의 징후를 느낄 수 있었고, 몇 년 동안 이어진 극우주의자들의 대규모 파업과 데모의 결과 인민전선이 권력을 장악했다.

세계박람회에 소련이 등장했던 해인 1937년에 막심 고리키가 창간한 잡지 『우리의 업적』은 소련에 머물던 조향사 오귀스트 미셸(이제는 아버지의 이름을 딴 이름: 오귀스트 이팔리타비치 미셸)의 인생행로와 광범위한 인터뷰에 토대를 두고 소련 향수 산업의 상황에 대한 르포를 제시한다.[04]

그것은 향수에 관한 대화이며 대숙청과 여론 조작용 재판, 무엇보다도 소문, 의심과 스파이, 태업, 제5열과 관련된 음모설로 가득 찬 분위기에서 죄 없는 수십만 명이 체포되고 살해된 시기에 모스크바에 있던 고독한 한 프랑스인의 감정에 관한 대화였다. 게다가 오귀스트 미셸은 프랑스 태생으로 오랫동안 '부르주아 전문가'(슈페츠)로서 러시아 향수 산업에서 중요한 역할을 했다. 이것은 겉보기에는 고기 가는 기계와 같았던 스탈린 숙청에 휘말리기에 알맞은 입장이었다.

미하일 로스쿠토프는 모스크바시 구역인 자모스크보레체에 있는 노바야 자랴(새로운 새벽) 공장 작업장으로 오귀스트 미셸

---

04 Michail Loskutov: "Graždanin francuzskoj respubliki", in: Naši dostiženija No 2, 1937, https://sergmos.livejournal.com/85233.html (2019. 3. 15.)

을 방문한 뒤 그에 대해 상세한 인물평을 썼다. 향수를 구성하고 실험했던 실험실이 인터뷰의 배경이었다. 전 세계에서 원액이 공급되었고 이곳에서 새로운 향수가 탄생했다. 작업실은 병, 화학용 저울, 보일러, 플라스크, 방향 물질들이 라틴어로 표시된 라벨이 붙어 있는 색인 카드 상자로 꽉 찼다. 흰색 작업복을 입은 직원들은 바삐 움직였다. 오귀스트 미셸은 수염을 길렀는데 그 모습은 프랑스 총리 조르주 클레망소를 닮았다. 직원들은 미셸을 애정을 담아 '우리 대통령', '우리 미셸', '향수 대통령'이라고 불렀다. 그는 평생을 향수의 세계에서 보냈다. 미셸은 사무실에 준비된 향수를 시험하기 위한 거르개 종이를 집으로 가는 길에 가지고 갔다. 그는 주로 코로 일했다. 후각에 근거한 인간의 감정은 다른 감각에 근거한 감정 못지않게 복잡하고 섬세하다. 후각은 가장 섬세한 화학 분석보다 더 강하고 더 미묘하지만 보통 과소평가된다.

미셸의 후각은 훈련받은 것이다. 로스쿠토프는 인터뷰에서 미셸의 유년 시절과 청년 시절로, 브로카르 회사에서 조향사로 일했던 혁명 이전의 시기로 떠난다. 1902년에 태어난 로스쿠토프가 속했던 젊은 세대에게 브로카르 회사라는 이름은 과거의 것이나 다름없었다. 그와 동시대인들은 혁명 이전의 '오스만' 담배 광고, '란드린' 사탕 상자, "나는 '판 후텐'(코코아)을 마셔요."라는 광고 포스터를, '아이넴과 게오르게스 보르만' 회사의 비스킷을, 브로카르 회사에서 생산된 '백조의 솜털'이라는 이름의 루즈 파우더를 기억하듯이 브로카르 회사라는 이름을 기억했다. 이 목록 안에는 장인 미셸이 지금은 소비에트 국가에 속한 공장에서 생산했던 목련, 동백나무와 할머니의 부케 등과 같은 이름을 가진 제품들이 들어 있다.

로스쿠토프는 미셸의 유년 시절을 되돌아본다. 칸으로, 향수, 스포츠와 코트다쥐르에서 보낸 청년 시절의 세계로 되돌아가고, 미셸이 열쇠공의 아들에서 조향사로 방향 전환을 하게 했던 경험들을 되돌아본다. 미셸은 군 복무를 피할 수 있었고, 조향사에게는 흔했던 약사로서의 훈련을 받았다. 미셸은 칸에 있는 '컹카르' 회사에서, 이후 마르세이유에 있는 '라모트' 회사에서 향수 합성 기술을 바닥에서부터 하나둘씩 배웠고 마침내 러시아로 갔다. 러시아의 거대 시장이 외국 화장품 회사, 제약 회사와 향수 회사에 문을 활짝 열었다. 여기서 겐리히 아파나스예비치 브로카르의 인생행로가 다시 이야기된다. 그는 위험을 무릅쓰고 다시 러시아에서 시작했고, 사치품을 대중을 위한 제품으로 만드는 데 성공을 거두었던 개척자였다. 로스쿠토프와의 인터뷰에서 미셸은 회사가 국제적인 상을 받은 것을 언급했고, 자신이 애써 모은 미술 수집품을 일반 대중에게 공개했던 스폰서이자 예술 보호자인 겐리히 브로카르를 언급했다. 하지만 이 너무 완전한 세계에서는 노동자들의 파업이나 1905년 혁명에 대해 아무런 언급도 하지 않는다. 대신 전 직원이 찍힌 단체 사진, 경영진의 위계질서, 엔지니어들, 회계 담당자들 그리고 계급투쟁의 현실 너머의 이상적인 세계를 가장했고 부르주아의 전형적인 자기만족감을 발산했던 노동자들이 언급된다.

로스쿠토프는 그다음 미셸의 '프랑스 공화국 시민'에서 충성스러운 소련 시민으로의 변신을 서술한다. 동시에 이것은 향수 기업 브로카르가 최대 사회주의 향수 기업으로 변신하고 자본주의 민간 경제가 사회주의 계획경제로 이행한 이야기이다.

모든 것이 혁명과 내전의 혼란 속에서 그렇게 이례적이지 않았던 불행으로 시작됐다. 프랑스인 공동체는 이미 모스크바를 떠났지만 미셸은 모스크바에 남았다. 그의 공장은 국유화됐고, 생산은 대체로 중지됐으며, 건물은 러시아 화폐를 인쇄하는 용도로 사용된다. 그 후 불행한 일이 일어난다. 즉 그는 여권을 분실하고 그 때문에 프랑스로 돌아가는 것이 불가능해져서 결국 모스크바에 남는다. 그 사이에 그의 옛 공장에 당세포가 설치됐고, 당세포는 향수 생산을 재개하기 위한 허가를 받기 위해서 대표단을 레닌에게 파견한다. 당세포는 프랑스 사람을 기억해 내고, 그 프랑스 사람은 일을 다시 떠맡는다. 소비에트 당국은 그에게 경화(硬貨)로 임금을 지불하고 온천 여행과 외국 여행을 제공한다. 이제 그는 향수 공장 가운데 하나에서 일하게 되었다. 새로운 일반적인 노선에 따라서 소비에트 권력은 과거 부르주아 전문가들에게 새로운 제안을 내놓았다. 그들이 제1차 5개년 계획(1928-1932) 시기에는 문화혁명을 지지하는 자들의 '전문가 괴롭히기'의 희생자였지만, 이제 그들은 소비에트 국가가 옛 지식층을 성공적으로 채용한 귀중한 예로 여겨진다. 미셸은 라리크, 우비강, 코티와 같은 창작품에 맞춘 향수병을 만들기 위해 나무 모형을 디자인하기 시작했다. 노동자들과 농부들의 새로운 사회는, 코가 조향사 직업에 없어서는 안 되는 가장 중요한 기관이 듯이 비록 전문가들이 옛 지식층 출신이지만 없어서는 안 되는 존재라는 사실을 결국 이해해야만 했다. 장인 미셸은 자신의 실험실을 갖게 되었고 학생들도 양성할 수 있게 됐다. 그는 학생들에게 자신의 지식을 전수했다. 프롤레타리아 국가가 이제 부르주아 전문가들에게 집, 온천장 여행, 자동차 그리고 무엇보다도 사회적 명성의 상승 등과 같은 특권을 보장할 준비를 했다.

과거 세계의 인물로 출신 전문가인 오귀스트 미셸은 10월 혁명 20주년 기념일 전날 밤에 새롭고 중요한 임무를 맡는다. 그는 소련에 걸맞은 향수를 만들어 내야 했다. 그 향수의 이름은 '소비에트 궁전'인데, 이러한 건축의 걸작을 충분히 표현하는 향기를 지녀야 했다. 최상의 향수, 새로운 시대의 향수, 기술 혁신의 향수, 제비꽃 향, 월하 향, 히아신스 향을 뛰어넘는 향수 말이다. 첨단 기술로 만든 최상의 향수는 어떤 냄새가 날까? 어떤 향수가 스탈린 시대를 표현할 수 있을까?

미셸은 망설인다. 시멘트, 강철, 모르타르 냄새가 나는 향수가 구매자를 만나게 될 것인지에 대해 회의적이다. 하지만 그는 임무를 받아들이고 작업에 착수한다. 그것은 시대의 정점에서 모스크바 하늘까지 뻗어나가고 420미터 높이의 탑이 구름 속으로 사라질 정도로 기념비적인 조각물이자 세계에서 가장 높은 건축물인 소비에트 궁전, 새로운 계급이 없는 사회의 국회 의사당에 어울리는 향수가 될 것이었다. 건축가 수십 명이 건축 설계 경쟁에 참여했다. 그 가운데는 르 코르뷔지에, 에리히 멘델

존, 발터 그로피우스, 베스닌 형제 등이 있었다. 뉴욕의 엠파이어 스테이트 빌딩 혹은 제네바의 국제연맹 본부 건물보다 더 인상적인 건물이 등장할 예정이었다. 소비에트 궁전은 그저 기념비적인 건물이어서는 안 됐다. 그 건물은 모스크바 중심에 있는 가장 규모가 큰 네오비잔틴 양식의 러시아 정교회 건물인 구세주 그리스도 대성당 자리에 하나의 상징으로서 세워질 예정이었

다. 성당은 1932년에 철거됐고 1937년 현재 보리스 이오판의 설계에 기초한 건물 건축이 한참 진행되는 중이었다. 10월 혁명 후 20년이 지나서 소비에트 국가는 새로운 승리를, 즉 세계에서 가장 높은 건물, 그리고 새로운 시대를 위한 최고의 향수, '소비에트 궁전' 향수를 내놓으려 했다. 이오판의 탑 건축물 모형은 1937년 파리 세계박람회의 소련 전시관에서 많은 감탄을 받은 인기 있는 볼거리였지만 향수는 실현되지 않았다.[05]

예술 위원회는 미셸이 만든 '건설의 향수'가 성공작이 아니라고 판단했다. 위원회는 대신 '5월 1일'이라는 이름의 향수를 선정했지만, 대중의 호응을 얻지는 못했다. 인터뷰 진행자인 로스쿠토프는 위원회 위원들은 '카르멘'과 같은 성공한 향수들을 그 이름이 그들에게 도박장 혹은 경박한 여자를 상기시킨다는 이유로 거절했던 위선적인 도덕의 수호자였다고 미셸에게 불평조로 말했다. 로스쿠토프의 눈에는 위원회 위원들은 '미트볼을 더 잘 만들기보다는 미트볼의 이름을 다시 짓는 타르튀프[06]'였다.

---

05 대성당 철거의 역사에 대해서는 Razrušenie chrama Christa Spasitelja, London 1988. 그리고 Schlögel: Terror und Traum, 692-708쪽에 들어 있는 '건물 기초 공사를 위한 구덩이' 장을 참조하시오.

06 몰리에르의 희곡 「타르튀프」의 주인공 타르튀프는 오르공의 '맹목'을 이용하는 협잡꾼이다. 겉으로는 독실한 신앙인이지만 속으로는 그 누구보다 더 탐욕스러운 위선자이다. 음식과 여자, 돈에 대한 탐욕이 대단하다. 「타르튀프」의 머리말에서 몰리에르는 이 작품이 위선자들을 겨냥한 것임을 분명히 밝힌다. 위선자들은 몰리에르의 조롱을 받아주지 않았다. 그들은 즉시로 크게 화를 냈고 그들의 위선을 조롱하려고 한 것을 파렴치한 짓이라고 여겼다. 그들에게는 몰리에르의 조롱이 도저히 용서할 수 없는 죄악이었다. 그들은 분노에 휩싸여 몰리에르의 희곡에 맞서 일어섰다. 그들은 자신들에게 불리한 부분은 조심스레 피해 가면서 몰리에르의 작품을 공격했다. 그 정도로 정치적인 사람들이었고 절대로 속내를 드러내지 않을 만큼 처세술에 뛰어났다. (옮긴이 주)

그들로서는 '5월 1일'처럼 거창한 이름의 향수를 버리고 기존의 좋은 꽃향기를 고수하는 편이 차라리 더 나았을 것이다. 미셸은 동의했다. "'당신 말이 맞습니다. 감사합니다.' 그 프랑스인은 내 손을 잡으면서 말했습니다. 그런 다음 내게 조향사로서의 직업 생활에서 그리고 개인적으로 자기 마음에 들지 않았던 많은 것을 이야기했습니다." 로리강과 코티는 오랫동안 유행에서 뒤떨어졌다. 하지만 소련 국민은 이러한 사실을 아직 파악하지 못했다. 샤넬 향수병 한 병의 가격은 파리에서 5,000프랑이었다. 이 가격은 당연히 터무니없는 것이었다. 미셸은 소련에서 향수 생산이 엄청나게 성장했다고 언급하고 향수 생산이 턱없이 모자란다고 주장하기도 했다. 또 그는 향수 생산의 주요 계획을 설명하고, 툴라에 거대한 향수 공장—최근 드니프로강에 건설됐던 대형 댐과 발전소에 견줄 만한 '향기의 드네프로 댐'—의 건립을 요구했다.[07]

'앙시앵 레짐' 시대의 전문가이며 러시아 내전의 혼란에서 살아남아서 향수 산업의 재건에 기여했던 오귀스트 미셸은 혁명이 끝난 후 몇 년 동안 명확히 부르주아적인 것으로 낙인찍힌 향수 문화와 화장품 문화의 뒤늦은 부흥에서 이익을 얻고 있었다. 산업화의 시기에 도시로 몰려들어서 일종의 새로운 중산층을 형성했던 신분 상승자들은 계획경제를 기반으로 상당수의 소비자를 위해 생산된 화장품, 향수 그리고 옷을 구입할 능력을 갖추었다.

사실 외교관 부인들과 외국인 방문자들은 1930년대 중반 모스크바 패션계가 상당한 변화를 겪은 모습에 놀랐다. 쇼윈도와 패션 아틀리에는 파리 혹은 뉴욕의 쇼윈도와 아틀리에를 기억나게 했다. 그들은 서방 세계에서도 내보일 수도 있었을 패션을 보았다. 하지만 이 패션은 일상생활이 아닌 쇼윈도에서만 발견됐다. 이 시기부터 소련의 여성상도 변했다. 소련 여성들은 다시 어머니보다, 무리의 보호자보다 더 강한 모습을 보여야 했으며, 양심의 가책을 느끼지 않고『옷을 입는 기술』혹은『아틀리에』와 같은 이름의 당시 소련 패션 잡지에서 광고한 보석, 액세서리와 옷을 포함한 그녀들에게 주어진 사치를 누릴 수 있어야 했다. 요구됐던 것은 단순함과 겸손이 아니라, 오히려 '웅장함, 고전적 양식, 유일함과 귀중함'이었다.[08]

이탈리아계 프랑스 패션 디자이너인 엘사 스키아파렐리[09]는 모스크바에서 봤던 '시폰[10]의 난잡한 잔치'와 안에 털가죽을 댄 옷에 당혹해 했다. 옷은 단순하고 실용적이어야 한다는 그녀의 충고는 수용되지 않았다. 많은 패션쇼, 포스터, 광고 그리고 무엇보다도 1935년에 모스크바에 문을 연 '견본의 집'이 보여 주었던 것처럼 근본적인 변화가 일어났다. 이 시설은 본질적으로 복잡한 장인적 기예에 의존하는 대단히 정교한 제품을 단순화, 표

---

08 Djurdja Barlett: Fashion East, The Spectre That Haunted Socialism.

09 이탈리아 출생으로 프랑스 파리에서 활동한 패션 디자이너이다. 유복한 가정에서 태어난 그녀는 젊은 시절 콘서트, 오페라 등 음악에 대한 글을 쓰기도 했으며, 그녀의 무한한 호기심과 상상력은 그녀가 세계적인 디자이너로 성공하게 되는 데 도움을 주었다. (옮긴이 주)

10 실크나 나일론으로 만든, 속이 비치는 얇은 직물. (옮긴이 주)

준화 그리고 가격 할인에 기초한 과정으로 대량생산해야 하는 이율배반적인 문제를 해결할 것으로 기대되었다. 이 기관은 분위기와 느낌을 통해 거의 무의식적으로 발전하는 패션의 예측 불가능성과 미리 확립된 생산 계획을 따라야 하는 필요성 사이의 모순을 해소해야만 했다. 향수를 포함한 패션은 더 이상 자발적이고 예견할 수 없는 '미래의 예측'(발터 벤야민)이 아니었다. 그보다는 오히려 시장의 무정부 상태가 아닌, 과학적 접근에 기초한 장기적으로 유효한 디자인의 실행이었다. 계획경제의 과정은 패션과 모순됐다. "엄격하며 위계적으로 조직되고 지나치게 중앙집권적인 체제를 통해 산업을 지배하는 스탈린주의 아래에서 확립된 강력한 관료주의는 사회주의가 종언을 고할 때까지 패션 영역의 기능을 결정했다. 위계적 원칙을 준수한 행동 때문에 사회주의 국가의 섬유 공장들은 소비자들의 요구를 따르지 않았고, 계획을 달성하기 위해서 자금을 공급하고 생산 목표를 정해주는 상관들의 요구를 따랐다."[11]

직물 가게와 옷 가게 앞에 길게 늘어서서 기다리는 것은 소련 시민이 평생에 걸쳐 겪는 일상생활의 한 부분이었다. 탄력적이지 않고 융통성도 없는 체제의 부조리와 평생 맞닥뜨려야 했던 것과 마찬가지로 말이다. 요동치는 수요와 공급을 무시하고 전적으로 경제 계획에만 예속되어 여름옷을 겨울에, 겨울옷을 여름에 그리고 누구도 원치 않았던 향수를 제공했던 것 역시 그러

11 Barlett: Fashion East, 84쪽.

한 부조리 중 일부였다.

향수 생산도 계획경제에 맞게끔 재구성됐다. 5개년 계획의 열정에 걸맞게도, 또한 오귀스트 미셸의 말대로, 향수 산업은 1927년부터 1932년에 걸쳐 지어진 유럽 최대의 수력발전소였던 드네프로 발전소처럼 될 운명이었다. 미셸은 '소련 향수 학교'를 세웠다. 이 학교의 학생인 파벨 이바노프와 알렉세이 포구드킨이 미셸의 뒤를 이어 향수 산업을 발전시켰다. 발터 벤야민은 생전에 패션이 경제 계획을 구속해 가격이 높은 의류라도 그 생산량과 이를 구매하는 소비자의 수를 늘릴 수 있을지 궁금해 했다. 즉 사회 분위기의 가장 민감한 표현이자 '다가올 미래'에 대한 예측으로서 패션의 죽음에 대해 질문한 것이다. "(예를 들면, 러시아에서처럼) 패션이 더 이상 추세를 따라갈 수 없다는 이유로, 적어도 특정 영역에서 죽게 될까?"[12]

1937년에 오귀스트 미셸에게 무슨 일이 일어났는지는 알 수 없다. 흔적은 없어졌고 남아 있는 것은 오직 추측뿐이다. 아마 그는 소련 여성과 결혼했기 때문에 다른 이름으로 계속 소련에서 살았을 테지만, 결국에는 모스크바를 떠나서 광대한 나라의 익명성 속으로 사라졌을 것이다. 하지만 그가 사라진 이유는 대숙청이라는 억압적 조치와 연결될지도 모른다. 미셸은 소련 국적과 프랑스 국적을 함께 보유한 외국인이었다. 그는 쉽게 스파이, 파괴 공작원 혹은 첩보원이라는 의심을 사거나 유죄판결을

12 Sergej Žuravlev/Jukka Gronov: Moda po planu. Istorija mody i mode-lirovanija odeždei v SSSR 1917-1991, Moskva 2013; Benjamin: Das Passagen-Werk, 120쪽.

받을 수 있었던 외국인 전문가였다. 또 부르주아 계급에 속했고 여전히 사치품 생산에 종사했다. 그 때문에 이미 몰락할 운명이었다. 오귀스트 미셸의 공동 생산자이며 디자이너였고 미셸과 함께 브로카르에서 노바야 자랴로 옮겨갔던 안드레이 예브제예프에게 무슨 일이 일어났는지도 불확실하다.

반면 오귀스트 미셸과 인터뷰를 진행했던 미하일 로스쿠토프의 운명은 알려져 있다. 1902년 쿠르스크에서 태어났고, 소련 작가 동맹 회원이었던 로스쿠토프는 콘스탄틴 파우스톱스키에 따르면 재능 있는 청년 작가였다. 그의 알려진 마지막 거주지는 모스크바의 카레트니 페레울라크 3구역 아파트 2호였다. 그는 1940년 1월 12일에 체포됐고 '테러 조직의 반혁명 활동에 가담했다'는 이유로 최고 군사 법정에서 사형선고를 받았다. 로스쿠토프는 독일이 소련을 침공한 직후인 1941년 7월 28일 총살형에 처해졌다. 독일군이 소련 영토에 점점 더 가까이 다가오자 소련 내무인민위원회가 많은 죄수들을 죽이기 시작했을 무렵이었다.[13]

디자인, 패션, 액세서리와 화장품을 포함한 소련의 생활 방식의 파노라마가 1937년 파리 세계박람회의 소련 전시관에 전시됐다. 소련의 디자인계와 향수 업계에서 탁월한 인물들이 박람회에 참석했다. 오귀스트 미셸은 거기서 에르네스트 보와 쉽게 만

---

13 기념관의 데이터베이스에 따르면 미하일 로스쿠토프는 1940년 1월 12일 체포되어 1941년 7월 6일 테러 조직에 가담했다는 이유로 소련 최고 군사 법정에서 유죄판결을 받았으며 1941년 7월 28일 총살됐고 1956년 복권됐다.

날 수 있었을 것이다. 보 역시 프랑스에서 러시아 문물과 관련이 있는 다른 모든 이들과 마찬가지로 장대한 볼거리였던 그 전시회를 방문했을 게 거의 확실하기 때문이다. 디아길레프 무용단의 후계자들도 에펠탑 근처 전시장에 걸린 행사 프로그램에 등장한다. 420미터 높이의 소련 궁전 모형은 박람회에서 가장 눈길을 끌었다. 하지만 거기에어울리는 향수는 없었다. 대신 1939년에 레드 모스크바로 알려진 향수가 모스크바에서 열린 러시아 전국 박람회에서 대상을 수상했다. 알렉세이 볼테르가 디자인한 광고 포스터는 향수와 권력의 중심과의 완전한 융합을 묘사하는 것처럼 크렘린 탑의 실루엣이 삽입된 기념비적인 향수병을 보여 준다.[14]

---

14 이 광고 포스터의 사진은 Parfjumernyj forum의 포털에 있다.

권력의 유혹적인 냄새:

코코 샤넬과 폴리나 젬추지나–몰로토바
20세기 두 명의 커리어 우먼

러시아 혁명이라는 역사적 사건은 혁명 이전의 '예카테리나 2세가 애용하던 향수'를 샤넬 넘버 파이브와 레드 모스크바로 발전시켰다. 두 갈래의 발전은 조향사 에르네스트 보(파리)와 오귀스트 미셸(모스크바)의 인생행로에 의해 구체화됐고, 샤넬이라는 사기업과 '테제'라는 이름의 소비에트 국가 트러스트라는 서로 다른 생산 라인에 의해 실현됐다. 이 두 향수는 전쟁과 궁핍의 시기에 아름다움을 향한 갈망과 과거 세계와의 단절을 상징했다.

향수 역시 시대의 폭력과 유혹에 영향을 받지 않을 수 없다. 이제 향기의 세계와 권력의 아우라 사이의 관련성을 분석할 시간이다.[01] 이러한 관련성의 존재는 굳이 주장할 필요는 없고, 드러내 보이기만 하면 된다.

우리는 코코 샤넬과 그녀의 세계에 대해 모든 것은 아니더라

---

01 향기와 권력의 관계에 대해서는 Classen/Howes/Synnott: Aroma를 참조하시오.

| 책상에 앉아 있는 폴리나 젬추지나

도 상당히 많은 것을 알고 있다. 하지만 노바야 자랴 회사가 생산한 향수의 세계와 이 회사의 가장 유명한 향수인 '크라스나야 모스크바' 즉 '레드 모스크바'에 대해 우리가 알고 있는 것은 무엇인가? 코코 샤넬은 너무나 유명하고도 중요해서 무시할 수 없는 인물이다. 폴리나 젬추지나-몰로토바는 주로 소련 외무장관 몰로토프의 부인이자 스탈린 시절에 5년 동안 유배 생활을 했던 인물로 알려져 있다. 그러나 그녀가 소련의 향수 및 화장품 산업의 발전에서 중요한 역할을 수행했다는 사실을 아는 사람은 많지 않다.[02]

---

02 Shemtschushina-Molotowa의 전기에 대해서는 Larisa Vasil'eva: Kremlevskie ženy, 온라인:https://www.rulit.me/books/kremlevskie-zheny-read-94666-1.html (2019.3.15.); Boris Morozov: 'Zhemchuzhina, Polina Semenovna', in: YIVO Encyclopedia of Jews in Eastern Europe. http://www.yivoencyclopedia.org/article.aspx/Zhemchuzhina_Polina_Semenovna. (2010.11.12.) 오디오필름: https://www.youtube.com/watch?v=DbXeJOhMQiQ (2019.3.15.); 간단한 전기는 Georgi Dimitroff: Tagebücher. Hg. von Bernhard H. Bayerlein, Bd.2, Berlin 2000, 629쪽; Sheila Fitzpatrick: On Stalin's Team. The

세일러복을 입고
개와 함께 있는
가브리엘 샤넬

Years of Living Dangerously in Soviet Politics, Princeton 2015; Stephen Kotkin: Stalin.
Vol. II : Waiting for Hitler, 1928~1941, London 2017; Swetlana Allilujewa: Zwanzig Bri
efe an einen Freund, Zürich o. J.를 참조하시오. 또한 다양한 출처와 신뢰성을 갖춘 다
음 자료들도 참조하시오: http://www.pseudology.org/(2019.3.15.); https://de.wikip
edia.org/wiki/Polina_Semjonowna_Schemtschuschina(2019.1.21); https://www.e-rea
ding.club/chapter.php/39547/20/Mlechin_-_Zachem-Stalin_sozdal-Izrail%27_.html;
Polina Zemčužina-biografija, informacija, ličnaja žizn', in:http://stuki-druki.dom/au
thors/Zhemchuzhina-Polina.php (2018.12.30.); https://de.wikipedia.org/wiki/Poli
na_Semjonowna_Schemtschuschina (2019.3.15.); Anna Belova: 'Žemčužina' Vjačesla
va Molotova: Supruga narkoma, kotoruju nenavidel Stalin. https://kulturologia.ru/blo
gs/071218/41551/(2019.8.12.).

가브리엘 샤넬은 1883년 8월 19일에 태어나서 프랑스 시골에서 성장했다. 샤넬은 사실 부유하고 영향력이 큰 남성들의 파트너로 권력의 영향권 안으로 끌려 들어갔기 때문에 일찍부터 상류 사회와 접촉했다.[03] 이 남성들의 눈에 샤넬은 액세서리였다. 하지만 그녀는 고집과 독립성을 결코 포기하지 않았던 여성이었다. 그녀는 애초에 낯설었던 사회생활에서 남성들의 삶과 경험을 끝없는 교훈으로 삼아 오히려 남성들을 이용했다. 그녀는 모든 형태의 사교를 배워 익혔다. 그녀는 연인들 입장에서는 아름답고 재치가 있으면서도 까탈스러운데다 비범할 정도로 박식한 여성이었으며, 예기치 않게 권력자들을 알게 되어 그들의 세계에서 교류하는 것을 배웠다. 콩피에뉴 인근 로얄리유 성에서 열리는 에티엔 발상의 사냥 모임에서도 그랬고 영국의 멋쟁이인 보이 카펠의 여자친구로서도 그랬다. 보이 카펠은 클레망소[04]의 친구였다. 샤넬은 보이 카펠과 함께 도빌, 비아리츠와 파리의 상류 사회에 머물렀고 그곳에서 당시 영국 최고 부자인 웨스트민스터 공작(별명은 '벤도르'-문장(紋章)의 황금색 병행 사선)을 알게 됐다.

---

03 많은 샤넬-전기 이외에도 인터뷰가 실린 몇 개의 유익한 영화 기록이 있다. Karl Lagerfeld: For the first time, CHANEL tells its story, online http://Inside-Chanel.com (2019. 4. 28.).

04 조르주 클레망소(1841-1929)는 프랑스 언론인, 정치가 그리고 제3공화국의 정치지도자였다. 좌파시민 급진당을 이끄는 대표적 인물들 가운데 한 사람으로 1906년부터 1909년까지 그리고 1917년부터 1920년까지 프랑스 총리를 역임했다. 그는 1899년 알프레드 드레퓌스의 복권을 위한 재심절차의 대변인으로 등장했다. 제1차 세계대전이 끝난 후 열린 1919년 파리 평화회의 프랑스 대표였다. 그는 이 회의에서 독일에 대한 강경한 정책을 요구했다. (옮긴이 주)

샤넬은 여러 해에 걸쳐 영국 상류층 인사들의 다양한 집을 출입했고 파리와 런던 근처 메이페어에 있는 자신의 집 사이를 왕복했다. 윈스턴 처칠과 함께 찍은 사진이 많은데, 처칠은 샤넬을 존경했고 샤넬은 처칠과 친밀하고 성과가 큰 교제를 지속했다. 새뮤얼 골드윈[05]은 샤넬을 로스엔젤레스로 데려왔고, 그곳에서 그녀는 할리우드 스타들에게 옷을 만들어 입혔으며 이를 통해 현대 대량 소비 시장이 작동하는 법을 배울 수 있었다. 샤넬은 유명한 패션 디자이너로서 미래의 에드워드 8세인 웨일스 공을 접대했다. 그와 그녀는 서로의 이름을 부르는 가까운 사이였다. 그녀는 그를 '데이비드'라고 불렀다. 그녀는 자신의 호화 주택에 로마노프를 묵게 했고 그와 사랑뿐만 아니라 반동적 세계관도 함께 나누었다. 그녀는 공식적으로 비정치적인 패션 아이콘이었지만, 전쟁과 전쟁 사이의 시기에, 특히 인민전선 정부의 불안한 시기에 사교계에서 단호하게 자신의 견해를 주장했다. 임금 인상을 요구하며 재봉사들이 파업을 벌이자 그녀는 그것을 개인적인 배신으로 간주했고, 나중에 전쟁이 났을 때 가게를 닫고 종업원들을 거리로 내쫓음으로써 앙갚음을 했다.

나중에 스캔들로 드러난, 1940년부터 1944년까지 독일 점령 기간에 샤넬이 독일인들과 협력한 것은 언제나 정치와 상관없는 독립적인 예술가로 자처해왔던 그녀이기에 놀라운 일이 아니다. 그녀는 프랑스의 패배와 독일의 파리 점령을 불행으로 여겼

---

05 새뮤얼 골드윈은 아카데미상과 골든그로브상을 수상한 미국의 영화 제작자이다. (옮긴이 주)

겼지만 단지 변화된 상황에서 하던 일을 계속 했다.[06] 그녀는 독일 점령 정부 고관들과 독일에서 온 유명한 방문자들을 위한 최고의 숙소였던 방돔 광장의 '리츠' 호텔 스위트룸에 계속 머물렀으며 전쟁 상황임에도 불구하고 늘 그랬던 것처럼 정선된 요리가 차려진 식당에서 나치 요원들과 함께 식사했다. 샤넬은 우아하고 멋진 연인을 가졌다. 이번에 그 연인은 독일인인 한스 귄터 폰 딘클라게였다. 그녀는 그를 파리 점령 이전부터 알았다. 그는 당시 프랑스 주재 독일 대사관의 특별 담당관으로 '제3제국'의 정보 및 보안 기구를 위해 일했다. 그가 담당한 일은 스파이 행위와 선전이었다. 그녀는 미술 전시회의 개회사, 성찬(盛饌)과 환영 파티가 있는 활기 넘치는 독일-프랑스 사교계에 등장했다. 강제 노동을 하러 독일에 끌려왔던 조카를 구하기 위해 베를린을 두 번 방문했고, 조카를 풀어주는 대가로 영국 지도층과 특히 그 사이에 영국 수상이 된 히틀러-제국의 가장 살벌한 적수인 윈스턴 처칠과 접촉하겠다고 제안했다. 이 접촉의 목적은 독일 제3제국의 쇠퇴기에 독일과 영국 사이에 단독강화를 맺고 전쟁의 초점을 볼셰비즘으로 옮기는 가능성을 타진해 보는 것이었다. 샤넬은 독일제국보안본부에서 온 발터 셸렌베르크와 베를린에서 만났고, 건축가 파울 바움가르텐이 에른스트 말리어를 위해 반제 호숫가에 지은 호화 주택의 게스트하우스에 묵었다. 이 장소

---

06 Hal Vaughan: Coco Chanel—Der schwarze Engel: Ein Leben als Nazi-Agentin, Hamburg 2011.

는 소위 '유대 문제의 최종 해결'[07]에서 아주 중요한 역할을 했다.

샤넬이 독일인들에게 협력했다는 것은 단지 소문만이 아니었고, 레지스탕스의 증언을 통해서, 파리가 해방된 이후 프랑스 법원의 사건 파일을 통해서 그리고 독일 당국의 서류를 통해서 입증된다.[08] 이 서류들은 그녀의 활동이 누군가에게 개인적으로 커다란 해를 끼쳤는지를 우리에게 말하지 않는다. 더 통탄할 그녀의 잘못은 그녀의 그러한 암묵적이고, 평범하고, 일상적인 동거와 협력이 잔인하게 모든 저항을 탄압하고 비시 정부의 협조를 받아 프랑스에 사는 유대인 수만 명을 죽음으로 내몰았던 독일 점령 정부를 정상으로 보이게 만들었다는 것이다. 따라서 대도시에서의 삶은 사람들이 조금 바뀌었을 뿐 이전과 다르지 않았다. 특히 프랑스어를 유창하게 말하는 독일인들은 어려서부터 프랑스 문화에 열광했고 프랑스 문화가 없는 유럽을 상상할 수 없었다. 이러한 독일인들 중에는 뛰어난 전문가, 작가 그리고 프랑스를 흠모하는 사람들이 있었다. 이들은 나치에 점령된 동부 유럽의 도시들에서는 발견되지 않는 사람들의 유형이었다. 대사관에서 온 자신들이 걸어갈 길을 잘 알았던 사람들이 있었

---

07 '최종 해결'이라는 용어는 유대인들을 전멸하려는 나치 독일의 계획을 지칭한다. '유대 문제의 최종 해결', 간단히 말하면 '최종 해결'은 나치주의자들이 1941년 7월부터 자신들이 유대인으로 규정한 사람들을 유럽에서 그리고 유럽을 넘어서 죽이려는 목표를 가리킨다. 이 목표를 나치주의자들은 나치 군대가 무조건 항복할 때까지 체계적으로 추구했다. 그 전에 나치주의자들은 이 표현으로 약 1880년부터 독일의 반유대주의자들에 의해 강요된 국가의 조직적인 유대인 추방과 유대인 이주를 지칭했다. 1941년 이후 이 완곡한 표현은 홀로코스트를 대외적으로는 은폐하고 대내적으로는 이데올로기적으로 정당화했다. (옮긴이 주)

08 법원 서류와 치안국 서류는 Hal Vaughan: Coco Chanel-Der schwarze Engel, 239쪽 이하를 참조하시오.

다. 오토 아베츠와 바로 그 한스 귄터 폰 딘클라게, 『프랑스에서의 신』(『신은 프랑스 사람일까?』, 1929년)이라는 책을 쓰고 독일인들에게 프랑스 문화가 지닌 매력의 일부분을 전달했던 프리드리히 지부르크와 같은 유명한 작가가 그런 부류의 사람들이다. 또한 1940년 6월 23일 총통이 파리를 방문하는 동안 이른 아침 파리의 거리에서 히틀러를 동행했으며, 점령 기간에 세계적으로 성공한 화장품 회사인 헬레나 루빈슈타인이 소유한 생루이 섬의 '모든 비 아리아인을 내쫓는' 아파트에 주거를 정했던 조각가 아르노 브레커도 그런 케이스이다..[09]

파리 사회의 유명한 인물들과 잘 지내는 것은 독일 지도층의 위신을 높이는 굉장히 중요한 일이었다. 그런데 그들은 압력을 받아서 그렇게 행동한 것은 아니었다. 오히려 장 콕토와 세르주 리파르[10]는 검은색 유니폼을 입은 잘생긴 남성들을 흠모하는 마음을 숨기지 않았다. 그리고 그들은 옛 친구들 가운데 한 사람인, 당시 심각한 위험에 처해 있던 막스 자코브를 도와줄 수 없었다. 막스 자코브는 드랑시 수용소에서 목숨을 잃었고 그의 형제자매들은 아우슈비츠에서 살해당했다.[11]

---

09 1934년 헬레나 루빈슈타인이 소유했던 건물로, 베튄느 부두 24번지에 있다. 이 건물의 사진은 https://de.wikipedia.org/wiki/Helena_Rubistein (2019. 3. 18.)에서 볼 수 있다.

10 우크라이나-프랑스 무용수이자 발레 안무가였으며, 1930년대와 1940년대 위대한 무용수들 가운데 한 사람이었다. 그는 러시아와 프랑스에서 명성을 얻었을 뿐 아니라, 세계적으로 발레의 계속적인 발전의 길을 결정했던 러시아 예술가 세대에 속했다. 열여섯 살부터 발레를 시작했고, 1923년 디아길레프 발레단에 입단해서 처음에는 무용수로 나중에는 안무가로 활동했다. (옮긴이 주)

11 Wolfgang Seibel: Macht und Moral: 'Die Endlösung der Judenfrageä in Frankreich, Konstanz 2010.

교양 있는 독일인들의 동경의 장소, 우아함의 척도로서 파리는 이제 독일 군인들과 정보 요원들에 의해 점령됐다. 샹젤리제 거리는 승리 퍼레이드의 운동장이었고, 총통의 얼굴 옆모습은 에펠탑을 배경으로 이른 아침 텅 빈 도시에서 승리와 굴욕의 순간을 포착한 카메라에 의해 촬영됐다. 한때 러시아 내전 난민들의 피난처였고 나중에는 온갖 정치적 색채와 직업을 가진 히틀러 정권에 반대하는 독일인들—유대인들, 공산주의자들, 사회주의자들 그리고 고향에 돌아가서 사는 동안 더 이상 안전하다고 느끼지 못했던 시민들—의 피난처였던 파리는 이제 그들에게는 악몽이 됐고 동시에 동부전선에 배치되지 않는 행운을 잡은 평범한 독일 군인들에게는 꿈의 도시였다.[12]

프랑스에는, 적어도 파리에는 독일 제국에 오래전부터 존재하지 않았던 라이프 스타일이 존재했다. 그것은 카페, 영화관과 상점, 와인, 치즈 그리고 향수가 있는 세련된 삶이었다. 향수는 군인들이 고향에 있는 연인에게 보낼 수 있었던 선물들 중에서 가장 프랑스적인 선물이었을 것이다. 향수병은 사용하기 쉬웠고 작지만 실용적이었다. 파리에서 온 향수는 독일 지방 도시들을 압도했다. 향수는 오랫동안 폭격이 감행되는 밤에 더 넓은 세계를 생각나게 하는 것이었다. 따라서 샤넬 부티크의 향수를 비축하기 위해서 독일 군인들이 깡봉가 31번지로 떼 지어 간 것은 이상한 일이 아니었다.

---

12 에른스트 윙어의 일기: 「발광(發光)」, 튀빙엔 1949, 슈투트가르트 1979.

독일의 점령은 샤넬에게 오래된 빚을 청산할 기회를 가져다 주었다. 1924년의 계약으로 그녀는 샤넬 넘버 파이브의 생산 권리와 판매 권리의 대부분을 피에르와 파울 베르트하이머 형제가 소유한 회사에게 넘겼다. 이 계약 때문에 샤넬 넘버 파이프는 심지어 프랑스 바깥에서, 특히 미국에서 엄청난 성공을 거두었다. 코코 샤넬은 사기를 당했다고 확신해서 계약을 수정하려고 무던 애를 썼다. 독일의 점령은 결국 그녀에게 베르트하이머 형제에 대해 단호한 조처를 취할 기회를 주었고 그녀는 다시 향수 사업의 일부를 손에 넣었다. 이것은 프랑스식 '아리안화(化)'였다. 이를 위해서 그녀는 비시 정부의 변호사들과 정치인들과의 커넥션을 이용했다.

샤넬은 유대인들에 대한 적대감을 결코 숨기지 않았다. 그녀는 유대인들을 좋아하지 않았다. 그 이유는 아마 '성 십자 수녀회'에서 자랐기 때문이기도 하고, 러시아 군주제를 지지하는 이민자들을 근거로 유대인들과 볼셰비즘이 연결됐다고 생각했고, 사업 파트너인 유대인들이 그녀를 속였다고 믿었기 때문이기도 하다. 사실 피에르와 파울 베르트하이머 형제가 새로운 판매 방식으로 미국에서 샤넬 넘버 파이브가 세계적인 성공을 거두도록 만들었다. 샤넬 넘버 파이브 향수병은 1939년 '미래의 세계'를 주제로 삼았던 뉴욕 세계박람회에서 제2차 세계대전이 일어나기 전날 밤 화장품 전시관 재단에 소장됐다.[13]

---

13 베르트하이머 형제들과 샤넬과의 다툼에 대해서는 Hal Vaughan: Coco Chanel—Der schwarze Engel, 225쪽 이하를 참조하시오.

샤넬은 미국인들과 샤를 드골 군대가 파리에 진입했을 때 그녀에게 무슨 일이 일어날지를 알았을 것이다. 독일인들과 사귀었던 수천 명의 소녀와 여성은 '수평적 협력'[14]을 했다는 이유로 거리로 내쫓겨 치욕을 당했으며 유죄판결을 받았다. 하지만 코코 샤넬은 달랐다. 그녀는 잠시 '리츠' 호텔에 구금된 후 '전후 프랑스 숙청위원회'에 소환됐다. 그녀가 재판에 회부되지 않도록 도움을 준 것은 분명히 윈스턴 처칠이 보낸 편지였다는 사실이 이번에도 기이한 역사의 아이러니이다. 샤넬은 상황이 잠잠해질 때까지 스위스로 도망쳤다. 심지어 그녀는 그곳에서 독일 커넥션을, 즉 한스 귄터 폰 딩클라게와 발터 셸렌베르크와의 커넥션을 복구했다. 그리고 그녀는 파리 무대로의 복귀를 준비했고 그 무대에서 1950년대 중반 그녀의 귀환을 기념할 수 있었다.[15]

폴리나 젬추지나-몰로토바의 인생행로와 운명에 대해서는 이전의 일부터 자세히 이야기되어야만 한다. 그녀는 서방세계의 의식과 기억 속에 전혀 흔적을 남기지 않았기 때문이다. 이 주목할 만한 여성의 전기는 아직 쓰이지 않았다.[16]소련에서는 많

---

14 프랑스에서의 협력은 제2차 세계대전 기간인 1940년과 1944년 사이에 프랑스 영토에서 독일 점령국과 프랑스 사람들과의 자발적인 협력과 공동 행위를 지칭한다. 프랑스에서의 협력은 페탱 원수가 1940년 10월 30일 프랑스 라디오 방송에서 인사말을 하면서 요구했던 나치 독일과의 국가적 협력뿐 아니라, 프랑스 국가 기관 밖의 독일 관청 혹은 독일 인원들과의 협력을 포함한다. (옮긴이 주)

15 모든 사실은 Hal Vaughan: Coco Chanel—Der schwarze Engel, 273쪽 이하에 근거한 것이다. 샤넬의 파리 귀환에 대해서는 Jean-Louis Froment: No. 5 Culture Chanel, Ausstellung im Palais de Tokyo, New York 2013에 수록된 콕토 등의 논문들의 리프린트를 참조하시오.

16 자료들은 Larisa Vasil'eva: Kremlevskieženy: Fakty, vospominanija, dokumenty, sluchi, legendy i vzgljad avtora, Moskva 1993, 그리고 youtube에 있는 영화들; Polina Žemčužina-biOgrafija, informacija, ličnaja žizn': http://www.knowbysight.info/(2019. 3. 14.);

은 사람들이 적어도 그녀의 이름과 그녀의 운명을 그리고 그녀가 주목을 불러일으키는 개성을 지녔다는 것을 알았다. 그리고 소련의 유대인들은 그녀가 특별한 케이스라는 것을 알았다. 그녀는 스탈린 이후 소련 제2의 권력자인 뱌체슬라프 몰로토프의 부인이었지만, 1949년 시온주의자들 서클에 관련되었다는 구실로 체포되어 유죄판결을 받았다. 그녀는 유배 생활로 5년을 보냈고 스탈린이 사망한 직후 비밀경찰의 우두머리인 라브렌티 베리야의 명령에 의해 석방됐다.

사실 그녀는 단지 유명한 소련 공산당의 당원이자 정치인의 부인이 아니었다. 그녀의 이름은 소련 화장품 산업과 향수 산업의 설립과 관련이 있다. 게다가 그녀가 소련 향수들 가운데 가장 유명한 '크라스나야 모스크바'(레드 모스크바)의 병에 크렘린궁의 양파 모양의 지붕을 한 탑을 닮은 마개를 씌웠다고들 말한다.[17]

폴리나 젬추지나는 유대인 마을의 빈곤한 환경 출신이다. 그녀는 1897년 2월 28일 예카테리노슬라프시(市), 지금은 우크라이나 자포리자에 속한 폴로이 정착촌에 사는 재단사 솔로몬 카르포브스키 가정에서 태어났다. 1910년부터 그녀는 예카테리노슬라프시(市)(지금은 드니프로시)의 담배공장에서 일했다. 이

---

http://stuki-druki.dom/authors/Zhemchuzhina-Polina.php(2019. 3. 18.); https://de.wikipedia.org/wiki/Polina_Semjonowna_Schemschuschina (2019. 3. 15.); Fitzpatrick: On Stalin's Team 등에서 수집됐다.

17 가장 유명한 소련 여성인 폴리나 젬추지나-몰로토바는 소련 향수 산업과 화장품 산업의 지도자였다. Yuri Slezkine: Das Haus der Regierung. Eine Saga der russischen Revolution, München 2018, 764쪽.

곳은 당시 러시아 제국 남부의 산업화, 철도 교통, 은행업의 교차점이었고 인구의 40퍼센트는 유대인들로 소위 '정착 구역'[18]내의 유대인들의 삶의 가장 중요한 중심지 가운데 하나였다. 1917년 러시아 혁명이 시작됐을 때, 그녀는 약국에 회계원으로 고용됐다. 그녀는 혁명과 내전 기간 동안 러시아에 머물렀지만, 여동생과 남동생은 먼저 1918년 영국의 위임 통치를 받고 있는 팔레스타인으로 이주했다. 남동생은 나중에 미국으로 이민을 가서 그곳에서 샘 카르프라는 이름의 성공한 사업가가 됐다. 그는 러시아 정부가 미국과 정기적인 무역 관계를 맺고서 자신의 '자동차 수출입 법인'을 통해 군사 장비를 조달하는 데 도움을 주었다. 폴리나는 팔레스타인에 사는 여동생과 1939년까지 편지를 주고받았다.

산재한 보고들을 합치면 다음의 광경이 분명해진다. 그녀가 1949년 체포된 후에 심문을 받으면서 이름을 바꿨다고 비난을 받았을 때, 이디시어로 '진주(pearl)'를 의미하는 페를(Perl)을 단지 러시아어인 젬추지나(Zhemchuzhina)로 번역한 것이며, 당시 흔히 있는 일이었다고 설명했다. 그녀는 1918년 붉은 군대와 볼셰비키당에 가담해서 정치 교육과 선전을 책임졌으며 클럽을 지도했다. 1919년에는 지하 활동을 하러 키이우로 파견됐고 조금

---

18 러시아 제국의 유럽 서부에 있는 지역을 지칭한다. 이 지역에서는 18세기 말부터 20세기 초까지 유대인들의 거주권과 노동권이 제한됐다. 이 지역은 예전에 대부분 폴란드-리투아니아 영토였다. 하지만 18세기 말 폴란드 분할로 러시아 지배에 들어갔다. 이 지역은 동해에서 흑해까지 뻗쳐 있으며, 면적은 백만 제곱킬로미터이다. 이곳에서 19세기 말까지 거의 5백만 명의 유대인이 살았다. (옮긴이 주)

뒤에 하르키우에서 폴리나 시묘노브나 젬추지나라는 이름의 신분증명서를 발급받았다. 이 신분증명서 덕분에 우크라이나에서 지하 활동을 계속할 수 있었다. 그녀는 1919년부터 1920년까지 우크라이나 공산당 중앙위원회에서 여성의 권익을 위해 강사로 일했고, 1920년부터 1921년까지 자포리자시(市) 위원회 여성분과의 지도자였으며, 1921년부터 1922년까지 모스크바의 볼셰비키당 로고시스코-시모노브스키 지역 위원회 강사로 일했다.

이 모든 것은 내전의 혼란 속에서 여성의 이익을 위해 헌신한 젊은 여성에 대해 증명한다. 이 지역은 적군(赤軍)과 백군(白軍) 사이에 전선이 바뀌면서 여러 번 유린당했고 유대인들에 대한 끔찍한 집단 학살이 주로 백군에 의해 자행됐다. 유리 슬레즈킨이 자신의 책『유대인의 세기』에서 지적하듯이, 팔레스타인 혹은 미국으로 이민을 가는 것이 아니면 국내에서 정치권력을 쟁취하기 위한 투쟁에 몸을 던지는 것은 당시 분명한 선택지였다. 젬추지나는 승리가 확실해지기 오래전에 볼셰비키당에 가담했다. 이것은 목숨을 잃을 위험을 감수하지 않고서는 내릴 수 없는 결정이었다.

여성의 문제들을 위해 활동하는 동안 그녀는 회의에 참석했는데 그 회의에서 전도유망한 뱌체슬라프 몰로토프의 눈에 띄었다. 그녀는 그와 1921년 결혼했다. 이로써 그녀는 권력의 핵심층으로 진입하게 됐다. 그녀의 남편과 스탈린 부부와 함께 그녀는 일종의 공동아파트에서 살았다. 상당한 시간이 지나서 비로소 그녀와 그녀의 남편은 복도 맞은편에 있는 자신들의 아파트

로 옮겨갈 수 있었다. 폴리나는 스탈린의 두 번째 부인인 나데
즈다와 막역한 친구였다. 나데즈다 역시 정치적으로 활동적이
었으며 자기 생각을 갖고 있었다. 나데즈다는 어느 날 저녁 축하
만찬에서 스탈린에 의해 공개적으로 질책을 받자 일어나서 식당
바깥으로 달려 나가더니 리볼버 권총으로 자살했다. 폴리나 젬
추지나가 유배를 끝내고 카자흐스탄의 코스타나이로 돌아온 후
1950년대에 만났던 스탈린의 딸인 스베틀라나 알릴루예바는 자
신이 기억하고 있던 자살하기 직전 엄마 나데즈다 알릴루예바에
게 일어났던 일을 이야기했다. "폴리나 세묘노브나(젬추지나)는
엄마와 다른 사람들과 함께 연회에 참석했다. 그들은 모두 다툼
과 엄마가 연회를 떠난 것을 목격했다. 하지만 아무도 그것을 대
수롭지 않게 여겼다. 폴리나 세묘노브나는 당시 단지 엄마를 홀
로 남겨 두지 않기 위해서 엄마와 함께 동시에 연회를 떠났다.
그 두 사람은 바깥으로 나가서 엄마가 진정될 때까지 크렘린 궁
주변을 여러 번 걸었다."[19] 폴리나는 스탈린 부인의 임종에 맨 처
음 불려온 사람들 가운데 하나였다.

　　1920년대 젬추지나가 직업 교육을 계속 받기로 결심한 것은
분명했다. 처음에는 모스크바 제2국립대학교 노동자 학부에서
(1923년), 그다음은 모스크바 제1국립대학교에서(1925년) 그리고
마지막으로는 모스크바의 플레하노프 국민경제대학교 경제학
부에서(1925-1926년) 직업 교육을 받았다. 그녀는 아주 일찍부

---

19 Allilujewa: Zwanzig Briefe an einen Freund, 163쪽; 1949년 초 젬추지나의 체포에 대
　　해서는 같은 책 275쪽을 참조하시오.

터 관리직을 맡았다. 처음에는 당세포의 여비서로(1927~1929년) 그다음에는 노바야 자랴 향수 회사의 책임자로(1930~1932년) 일했다. 1932년부터 1936년까지 그녀는 국가 향수 기업연합인 '테제'의 우두머리였다. 뒤이어서 식품 산업 인민위원회에서 지도적 직책을 맡았다. 그리고 1936년 7월부터 향수 산업, 화장품 산업, 합성화학 산업과 비누 산업의 주요 부서를 관리했다. 그리고 1937년 11월부터 소련의 식품 산업을 관할하는 인민위원회 부위원장이었다. 1939년 1월 19일에 식품 산업 인민위원회에서 생선 가공 산업 인민위원회가 분리됐고, 위원장은 폴리나 젬추지나였다. 소련의 역사에서 최초의 그리고 유일한 여성 인민위원이었다. 몰로토프가 나중에 펠릭스 추예프와의 대화에서 주장했던 것처럼, 남편인 몰로토프가 반대했지만, 스탈린이 직접 그

자리에 그녀를 임명했다고 한다.[20]

1939년 3월에 젬추지나는 공산당 중앙위원회 후보로 선출됐고, 따라서 18차 당 대회가 열린 해에 권력의 핵심층에 접근하게 됐다. 18차 당 대회에서 '예좁시나'(1937-1938년의 대숙청) 시대를 끝낼 예정이었고 중요한 대외 정책 결정들이 공표됐다. 이 당 대회에서 스탈린은 1938년의 뮌헨 협정에서 서유럽 열강이 항복하고 영국과 프랑스와 집단 안보 체제를 구축하는 것이 실패로 끝난 후에 다른 나라들을 위해 '불 속의 밤을 주울(위험을 무릅쓸)' 각오가 서 있지 않다고, 즉 단독으로라도 나치 독일에 맞서 전쟁을 계속하겠다고 선언한 '밤 연설'을 했다. 1939년 8월 10일 공산당 중앙위원회 정치국은 젬추지나와 관련된 모든 자료를 재검토하기로 결정했다.

1939년 11월 젬추지나는 생선 가공 산업 인민위원의 직책에서 파면되어 소비에트 러시아 경공업 인민위원회의 섬유 산업과 유행 장신구 산업 분과의 책임자로 임명됐다. 1941년 2월 그녀는 18차 당 대회에서 중앙위원회 후보로서의 지위를 상실했다. 이것은 명백한 지위의 상실로 본질적으로는 강등이었다. 1946년 10월부터 1948년까지 그녀는 소련 경공업 부(府)에 속한 유행 장신구 중앙 관리 본부의 본부장이었다. 그 뒤에 그녀는 1949년 1월 26일 체포될 때까지 소비에트 러시아의

---

20 젬추지나는 Feliks Čuev: Sto sorok besed s Molotovym, Moskva 1991; http://stalinism. ru/elektronnaya-biblioteka/sto-sorok-besed-s-molotovyim.html? (2019.8.12.)에서 여러 번 언급된다.

경공업 부(部)의 예비 인력 인원이었다. 1949년 12월 29일 그녀는 추방 5년이라는 유죄판결을 받았다. 1953년 1월 21일에 다시 유죄판결을 받았지만, 1953년 3월 23일 구류에서 풀려나서 이틀 뒤인 3월 25일 내무부 특별 회의 결정에 의해 복권됐다. 같은 해에 그녀는 은퇴했다.

1938~1939년에 젬추지나가 지도층 핵심에서 제거되는 결과를 낳은 무슨 일이 일어났음에 틀림없다. 무슨 일인지는 공개적으로 알려지지는 않았지만, 그 무슨 일이 10년 후에는 중요한 역할을 했던 것처럼 보인다. 아마 그것은 외국에 있는 사람들과 소련에 있는 외국인들과 그녀의 관계였을 것이다. 즉 한편으로는 미국에 있는 남동생, 팔레스타인에 있는 여동생과의 지속적인 연락, 다른 한편으로는 외교사절단의 대표들, 특히 모스크바 주재 미국 대사인 조셉 데이비스의 아내 마조리 데이비스와 맺은 친밀한 사회 관계였을 것이다.[21]

외교관들과 그들의 배우자들처럼 마조리 데이비스는 빼앗기고, 심각하게 훼손되고, 전 세계에 흩어져 있던 상류층의 재물로 넘치는 모스크바의 골동품 가게들을 찾아다녔다. 모스크바의 시장과 바자 시장에서는 네덜란드 화가들의 그림과 마이센

---

21 Delo Evrejskogo Antifašists-kogo Komiteta, Dokument No 2, Zapiska M. F. Skirjatova i V. S. Abakumova o P. S. Žemčužinoj 1948.12.27, in: RGASPI, f.589,op.3,d.6188, 125-31, kopija, in: https://www.alexanderyakovlev.org/copyright (2019.3.15.); Delo Evrejskogo Antifašists-kogo Komiteta, Dokument No 14, L. P. Berija - v prezidium CK KPSS o rezuľtatach izučenija P. S. Žemčužinoj, 1953.5.12. AP RF, f.3.,op.32,d.17, I 131-134, in: https://www.alexanderyskovlev.org/copyright (2019.3.15.)에 있는 Žores Medvedev 등의 분석.

도자기와 세브르 도자기, 룀트겐 가구와 값비싼 모피를 발견할 수 있었다. 친밀한 관계가 그러한 '욕망의 물건들'을 획득할 때 도움이 된다는 것은 자명하다. 평소에는 무해한 것으로 보이는 그러한 관계가 대숙청과 전반적인 스파이 열풍의 배경에서는 치명적인 위험으로 변할 수 있었다. 그 가족이 혁명 이전에 러시아를 떠났더라도 단지 외국에 있는 가족과 관계를 유지하는 것은 매우 위험했다.[22] 이러한 상황에서 가장 기본적인 사교조차 의심을 받았다. 이 의심에서 폴리나 젬추지나도 벗어날 수 없었을 것이다. '스파소 하우스' 안에 있는 미국 대사관에서 열리는 리셉션은 그 화려함으로 유명했다. 이 리셉션은 '모스크바 전체'가 실제로 만나는 장소였고, 조지 케넌과 같은 외교관들의 회고록에 그리고 미하일 불가코프의 『거장과 마르가리타』와 같은 문학작품에 언급됐다. 미국 대사인 조셉 데이비스는 아내 마조리를 몰로토프의 다차(주말농장)에서 열린 '부인들의 점심 모임'에 초대했던 '마담 몰로토프'에 대해 설명한다. "마조리는 몰로토프 부인의 점심에 갔다. 아주 기이했다. 다양한 정치 위원들 부인의 모임이었다. 그런데 모두 기술자, 의사, 공장 책임자의 일 혹은 그와 비슷한 일을 하고 있었다."

"총리의 부인인 마담 몰로토프는 내각의 일원으로 생선 가공 산업 담당 인민위원을 지냈고 지금은 화장품 산업 담당 인민위

---

22 이 시기의 유대계 소련 시민들과 외국에 있는 친척들 사이의 편지 교환에 대해서는 Leonid I. Smilovitsky: Jews from the USSR write abroad (Letters and Diaries of World War Ⅱ as a Historical Source), PartI, Russkii Arkhiv, 2017, 5(1), 12–32쪽; PartⅡ, Russkii Arkhiv, 2017, 5(2), 106–124쪽을 참조하시오.

원이다. 그녀는 비범한 여성이다. 그녀가 이 우아한 향수 가게들과 미장원들을 설립한 방식은 그녀가 상당한 조직 능력을 지녔음을 웅변한다. 그녀와 엔지니어, 의사 등 나머지 진지한 여성들은 특히 마조리가 자신의 지위에서 여성으로서 매우 진지하게 실질적인 문제에 관심을 보이고 마조리 자신이 '일하는' 여성이기 때문에 마조리에게 관심을 보였다. 내가 경험한 바로는 소련에서 오직 여성만 초대한다는 생각은 아주 새로운 것이다."[23]

대사 부인도 '마담 몰로토프'에게 강한 인상을 받았다. "우리가 향수와 피부 크림 등을 생산하는 공장(그녀가 경영하는 네 개의 공장 가운데 하나)을 구경했던 그날 마담 몰로토프는 자신의 집에서 점심을 같이 하자고 우리를 초대했다. 우리는 기꺼이 받아들였다. 초대받은 날 우리는 출발해서 한 시간을 광활한 루블로바 숲으로 가는 길에 있는 마을을 거쳐 대저택들을 지나갔다. 마침내 녹색 울타리와 경비 군인들이 시야에 들어왔다. 대문은 열려 있었고, 집에 도착할 때까지 우리는 더 많은 경비 군인들을 봤다. 집은 현대적이고 크지만 결코 내부나 외부나 궁전은 아니었으며 오히려 상당히 평범했다. 좋은 취향이었다. 쾌적하거나 아니면 '사람이 계속 이용하게' 시설이 갖춰 있지는 않았지만 모든 면에서 적절했다. 입구 안에 있는 홀, 넓은 계단, 탈의실 등, 거실은 널찍했다. 사진도 장식품들도 없었다. 큰 여닫이창이 달린 식당은 넓었다. 식탁은 시클라멘으로 장식됐고 최소한 한 사람

23 Joseph E. Davies: Als USA-Botschafter in Moskau. Authetische und vertrauliche Berichte über die Sowjetunion bis Oktober 1941, Zürich 1943, 87쪽 (1937년 3월 14일 기입).

에게 3개의 시클라멘이 배정됐다. 식당 바닥에는 8개 내지 10개
의 흰색과 연보라색 라일락을 심은 화분이 아주 아름답게 놓여
있었고 꽃이 만발해 있었다." 조지 케넌의 부인, 일등서기관 헬
스의 부인, 대숙청에서 곧 사라질 운명이었던 유명한 소비에트
공무원 블라스 추바르, 니콜라이 크레스틴스키와 보리스 스토모
냐코프의 부인들이 참석했다. 점심은 아주 세련된 다양한 코스
의 행사였다.[24] 나중에, 1938년 9월 10일에 조셉 데이비스는 몰
로토프 앞으로 편지를 보냈다. 그의 편지는 '친애하는 총리님'으
로 시작됐다. "저는 항상 오로지 귀하의 멋진 러시아 국민에게서
받았던 친절 그리고 소련 정부의 대표들이 제게 보였던 그 많은
호의와 친절에 진심으로 감사하면서 러시아에서의 체류를 생각
할 겁니다. 저는 귀하에게 제 자필 서명이 들어간 러시아 사진
집 목록의 복사본을 특별한 봉투에 넣어 보냈습니다. 저는 귀하
의 정부의 도움을 받아 이 사진들을 편성하고 습득할 수 있었고,
제 모교인 위스콘신 대학교에 선물로 증정할 수 있었습니다."[25]

폴리나는 다른 장소들에서도 나타난다. 그곳에서 소련 공산
당 간부들은 격조 높은 형식의 사교를 즐겼다. 모스크바 강변 소
스노비보르 근처 몰로토프의 다차에서 수영하고 수련으로 화관
을 만들면서 딸과 함께 찍은 사진들 속에서 폴리나를 볼 수 있
다. 그곳에서 몰로토프는 1938년에 체포되어 처형됐던, 작가이
자 소련의 중요한 문화 외교관이었던 알렉산드르 아로세프와 함

---

24 Joseph E. Davies: Als USA-Botschafter in Moskau, 87쪽.

25 Joseph E. Davies: Als USA-Botschafter in Moskau, 334쪽.

께 어린 소년들처럼 물속에서 물장구도 치고 문학과 예술에 대해 깊이 있고 박식한 토론을 벌였다.[26]

예를 들면 미국과의 정기적인 교류 같은 평상시에 아주 흔했던 일들이 대숙청의 시기에는 아주 위험한 위법행위가 되었다. 1935년과 1936년에 소련과 미국의 접촉은 극히 빈번했다. 이것은 '소비에트 미국주의'(한스 로거)의 정점이었다. 소련 국회의원들은 '신세계'에 파견됐다. 신세계는 유럽의 '구세계'보다 더 중요한 지향점이 됐다. 기술자들은 수력발전소와 마천루의 건설을 공부했고, 건축가들은 뉴욕에 있는 뉴딜의 가장 큰 공사장과 록펠러 센터를 방문했다. 소련의 가장 인기 있는 작가인 일리야 일프와 예브게니 페트로프는 미국을 여행하고 소련으로 돌아와 주요 신문들과 고급 잡지에 '단층 건물의 미국'이라는 지면을 통해 발표한 여행보고서를 묶어 책으로 출판했다. 아나스타스 미코얀은 통조림 산업, 생활필수품 생산, 시카고 도축장에서 영감을 얻은 포드 방식(대량생산 방식)[27] 그리고 자동판매기와 패스트푸드 식당의 작동을 아주 가까이에서 연구하기 위해 대규모 대표단과 함께 미국으로 여행을 떠났다. 1939년 뉴욕에서 열린 세계박람회에서 소련은 장관을 이루는 전시관을 뽐냈다.[28]

---

26 Slezkine: Das Haus der Regierung, 679쪽 이하. 세련된 외교관이며 작가, 소련 문화 외교의 중심인물이며 대숙청의 희생자인 알렉산드르 아로세프(1890-1938)에 대해서는 Michael David-Fox: Showcasing the Great Experiment를 참조하시오.

27 자동차 왕 헨리 포드는 20세기 초 미국 시카고 도축장의 체계적 시스템에서 영감을 얻어 처음으로 컨베이어 시스템을 자동차 공장에 도입했다. (옮긴이 주)

28 Hans Rogger: 'Amerikanizm and the Economic Development of Russia', in: Comparative Studies in Society and History 23 (1981), 382-420쪽.

1939년은 폴리나 젬추지나의 경력에 전환점을 의미하는 해였다. 6월에 그녀와 함께 일하는 향수 산업 트러스트의 책임자들, 식료품과 향수, 기름을 생산하는 트러스트의 책임자였던 슬리오스버그라는 이름으로 활동했던 피부과 전문의 일리야 벨라코프 그리고 의사 자매인 율리카 카넬과 나데즈다 카넬 등은 체포되었다. 그들은 모진 고문 끝에 소위 '뱀 구덩이(극도로 기분 나쁜 장소)'에 빠져 강제로 사전에 작성된 자백서에 서명했다. 총살을 당하기 전에 벨라코프는 기록을 위해 이렇게 진술했다. "그들은 나를 때렸고 내가 젬추지나 동무와 함께 살았으며 스파이임을 자백하라고 요구했다. 사실 그 여성을 비방할 수 없었다. 이것은 거짓말이고 나는 태어날 때부터 발기불능이었기 때문이다." 베리야의 명령을 받아 심문을 지휘했던 보그단 코불로프는 나중에 자신이 벨라코프를 때렸다고 시인했다.[29]"목적은 베리야의 명령에 따라 적대적인 행위들에 대해 그리고 당과 정부 지도자들 가운데 한 지도자의 가족 구성원의 관계들에 대해 자백을 얻어 내는 것이었다."

1939년 8월 10일 정치국은 '젬추지나 동무에 대해' 결정을 내렸다. "1. 젬추지나 동무는 신중하게 선택해서 교제를 하지 않았다. 그 결과 젬추지나 동무 주변에서 적지 않은 적대적인 스파이

---

29 심문에 대해서는 Vjačeslav Nikonov: Molotov. Naše delo pravoe, Moskva 2016, 19쪽이하. Delo Evrejskogo Antifašistskogo Komiteta, Dokument No2, Zapiska M. F. Skirjatova i V. S. Abakumova o P. S. Žemčužinoj 1948. 12. 27., in: RGASPI, f. 589, op. 3, d. 6188, l. 25–31, kopija, in: https://www.alecanderyakovlev.org/copyright (2019. 3. 15.)를 참조하시오.

요소들이 발견됐다. 이로써 쳄추지나 동무는 고의 아니게 스파이 행위를 용이하게 했음이 확인됐다. 2. 쳄추지나 동무와 관계된 모든 자료들이 신중히 검토될 것임을 확인했다. 3. 쳄추지나 동무는 생선 가공 산업을 담당하는 인민위원의 지위에서 물러난다. 이 조치들은 연속적으로 이행될 것이다."

1939년 11월 21일에 쳄추지나는 소비에트 러시아의 경공업 인민위원회의 섬유 산업과 유행 장신구 산업 분과의 책임자로 임명됐다. 이것은 소비에트 연방의 수준에서 공화국 수준으로의 강등이었다.[30] 다음 조치는 1941년 초 18차 당 대회가 열리기 전날 밤에 개최된 중앙위원회 전체 회의에서 내려졌다. 이 전체 회의에서 전임 외무인민위원인 막심 리트비노프와 폴리나 쳄추지나를 포함한 상당수의 유명한 후보들이 실각했다. 그 회의에 쳄추지나가 등장한 것은 게오르기 디미트로프에게 강렬한 인상을 남겼다. 1941년 2월 20일 일기에 이렇게 썼다. "쳄추지나에게 일어났던 일은 특별히 인상적이었다. (그녀는 훌륭한 연설을 했다. '당은 저를 우대했습니다. 당은 제 선한 일에 보답했습니다. 하지만 저는 부주의했습니다). (생선 가공 산업을 담당하는 인민위원으로서) (제 대리인이 스파이로 밝혀졌습니다. 제 여자 친구가 스파이였습니다. 저는 가장 기본적인 경계도 하지 못했습니다. 저는 이 모든 일에서 교훈을 얻었습니다. 저는 제 생애 마지막까지 정직하게, 볼셰비키 방식으로 일할 것을 선언합니다.') 투표가 이루어지는 동안 한 사람이 기권

---

30 Vjačeslav Nikonov: Molotov. Naše delo pravoe, 20쪽.

했다(몰로토프). 아마 그가 그녀의 남편이었기 때문이다. 그렇기는 하지만 그것은 전혀 옳지 않았다." 흐루쇼프 역시 젬추지나의 등장을 기억했고 기권함으로써 자신의 개인적인 문제를 남편으로서 당 규율위원회에 회부했던 몰로토프에 대한 많은 중앙위원회 위원들의 비판을 기억했다.[31]

올레크 흘레브뉴크와 스티븐 코트킨의 해석에 따르면 스탈린은 1939년 8월 10일에 젬추지나 주변의 '적대적인 스파이 요소들'에 대해 고발을 허용했지만 그녀를 강등했을 뿐이다. 코트킨과 흘레브뉴크는 둘 다 이것을 젬추지나의 남편인 몰로토프를 겨냥한 경고사격으로 해석한다.[32]

그럼에도 대숙청이라는 극도의 신경과민과 긴장의 시기에 젬추지나의 미국과의 커넥션이 파멸의 원인으로 입증됐고, 1939년 젬추지나의 강등 배경에 미국과의 커넥션이 있었다는 사실은 분명하다. 이 사건은 나중에 그녀가 1949년 체포됐을 때 또다시 역할을 할 것이었다. 1939년 크렘린에서 열린 신년 축하연에서 젬추지나와 몰로토프는 여전히 스탈린 옆에 앉았다.

독일이 소련을 침공한 후 그리고 전쟁 내내 폴리나 젬추지나는 전 세계적으로, 하지만 특히 미국에서 유대인들의 단결을 촉진하고 히틀러에 맞선 전투에서 소련에 대한 지원을 동원하기

---

31 Dimitroff: Tagebücher 1933-1943, 348쪽; 그리고 Nikonov: Molotov. Naše delo prav oe, 76쪽.

32 Kotkin: Stalin. Vol. II: Waiting for Hitler, 1928-1941, 692쪽; Oleg V. Chlevnjuk: Sta linskoe politbjuro. Mechanizmy političeskoj bor'by v 1930-e gody, Moskva 1996, 171-172쪽과 242-243쪽.

위해서 캠페인을 벌였던 유대 반파시즘 위원회의 중요한 구성원들 가운데 한 사람이었다. 따라서 젬추지나는 소비에트 세계와 서방의 반 히틀러 동맹 사이를 연결하는 사람들 가운데 한 사람이 됐다. 이 조직의 의장은 소련의 유대인들에게 최고의 존경과 사랑을 받는 모스크바 국립 유대인 극장의 배우인 솔로몬 미호엘스였다. 젬추지나의 소송 기록에는 미호엘스의 편지가 들어 있는데, 그 편지에서 미호엘스는 젬추지나에게 병든 동료에 대한 지원을 요청했다. 그녀는 전혀 두려워하지 않고 1946년에도 미국에 사는 남동생에게 편지를 보냈다.[33] 유대 반파시즘 위원회는 일리야 에렌부르크와 바실리 그로스만이 편집한『1941~1945년 전쟁 동안 소련의 잠시 점령된 지역들에서 그리고 폴란드의 파시스트 집단 학살 수용소에서 파시스트 독일 침략자들에 의해 자행된 무자비한 유대인 대량 학살에 관한 흑서(黑書)』로 유명해졌다. 그러나 이 책은 완성된 직후 유통이 중단됐고 소련의 종말까지 러시아에서 출판될 수 없었다.[34]

1948년 10월 혁명 31주년 기념식에 늘 그렇듯이 크렘린에서 축하연이 있었다. 축하연은 몰로토프가 모스크바에서 승인받은 외교관들을 위해 마련했다. 젬추지나는 최근에 임명된 이스라엘 대사 골다 메이어와 보란 듯이 어울렸다. 골다 메이어는 모스크바에 도착한 다음 코랄 유대인 회당을 방문했을 때 수만 명

---

33 Vasil'eva: Kremlevskie ženy, 67쪽. 나는 1924년 외국 여행에 대한 정보를 발견하지 못했다. 하지만 유대 반파시스트 위원회와 관련하여 미국 여행을 했다는 증거는 있다.

34 독일어 판본: Wassili Grossman/Ilja Ehrenburg: Das Schwarzbuch, der Genozid an den sowjetischen Juden, hg. von Arno Lustiger, Reinbek bei Hamburg 1995.

의 유대인들에게 열렬한 환영을 받았다. 이스라엘 국가를 건국할 때 소련이 중요한 역할을 한 것을 알았을 뿐 아니라, 소련 안에서의 유대인 박해를 알았던 골다 메이어는 폴리나 젬추지나와의 만남을 이렇게 묘사했다. "'저는 드디어 당신을 만나게 되어 무척 기쁩니다.'라고 그녀는 정말 따뜻하게 그리고 심지어 흥분해서 말했다. 그러고 나서 그녀는 덧붙여 말했다. '저는 이디시어를 말해요. 알죠.' '당신은 유대인이에요?' 나는 약간 놀라서 물었다. '네' 그녀는 이디시어로 대답했다. '나는 유대 민족의 딸이에요.' 우리는 상당히 오랜 시간 이야기했다. 그녀는 회당에서 일어났던 일을 알고 있었고 우리가 회당에 갔던 일이 얼마나 좋은지를 내게 말했다. '유대인들은 당신을 보기를 너무 원합니다.'"
대화를 나누는 중에 젬추지나는 키부츠의 공동소유의 원칙에 대해 비판적 발언을 했다. "'그것은 좋은 원칙이 아니에요.'라고 그녀는 말했다. '사람들은 모든 것을 나누는 것을 좋아하지 않아요. 심지어 스탈린도 그것에 반대하죠. 당신은 이 주제에 대한 스탈린의 생각과 글을 숙지해야만 해요.' 그녀가 다른 손님들에게로 돌아가기 전에, 그녀는 사라(골다 메이어의 딸)를 포용하고 눈물을 흘리면서 말했다. '잘 지내세요. 당신이 잘 지내면 세계 도처에 있는 유대인들도 잘 지낼 거예요.'"[35]

1948년 12월 29일 '마담 몰로토프'는 당에서 축출됐다. 그리고 1949년 1월 29일 그녀는 체포됐고 '수년 동안 유대 민족주의

---

35 Golda Meir: Mein Leben, Frankfurt/Main 1983, 258쪽 이하.

자들과 밀통'했다는 이유로 기소됐다. 두 달 후, 남편 뱌체슬라프 몰로토프는 외무장관의 직책에서 해임됐다. 이로써 '스탈린 팀'(셰일라 피츠패트릭)에 대한 영향력을 상당히 잃었다. 젬추지나의 친척들인 남동생 A. S. 카르포브스키, 여동생 R. S. 레쉬나야브스카야, 그리고 그녀의 조카들인 항공산업부 339호 공장 책임자였던 I. I. 슈타인베르크와 소련의 생선 가공 산업부 내 인사부책임자였던 S. M. 골로바네브스키도 체포됐다. 체포된 레쉬나야브스카야와 카르포브스키는 '그들에게 적용됐던 지도 규범' 즉 고문을 이기지 못하고 감옥에서 사망했다.[36]

1949년 12월 29일에 젬추지나는 소련 국가안전부의 특별 회의에 의해 우랄산맥 동쪽 쿠스타나이로 5년간 유배형을 선고받았다. 1953년 1월에 그녀는 다시 쿠스타나이에서 체포되어 여론 조작용 재판의 준비로 모스크바로 압송됐다. 이러한 조치에 대해 그녀는 이렇게 의사를 표시한다. "정부가 그렇게 결정했다면, 어쩔 수 없다."

심문을 받았을 때, 그녀는 모든 혐의를 부인했다. 당국은 젬추지나가 '크림반도에 유대인들의 캘리포니아'를 건설하겠다는 미호엘스와 다른 사람들의 발상을 지지했다는 것과 시온주의자들의 반-소련 음모를 숨겼다는 것을 증명하고 싶었다. 그녀에게 제기된 소송의 이유만큼 불합리한 것은 없었다. 젬추지나의 부

---

36 Delo Evrejskogo Antifašists-kogo Komiteta, Dokument No 14, L. P. Berija‐v prezidium CK KPSSo rezuľtatach izučenija obstojateľstv aresta izučenija P. S. Žemčužinoj, 1953. 5. 12. AP RF, f. 3., op. 32, d. 17, L131-134, in: https://www.alexanderyakovlev.org/copyright (2019. 1. 21.).

남편인 바체슬라프 몰로토프와
나란히 걷는 폴리나 젬추지나

하들 가운데 한 사람은 심지어 그녀가 자신을 성적으로 유혹했다는 이유로 그녀를 고발했다. 또 다른 부하는 그녀가 코랄 유대인 회당에서 이층 보통 관람석의 여성 전용 일반석에 앉지 않고 남성들만을 위해서 마련된 기도실 안의 특별석에 앉아 있는 것을 봤다고 주장했다. 그녀는 미호엘스가 '교통사고'로 사망했다는 공식적인 발표와는 달리 자신이 미호엘스가 살해됐다는 소문을 퍼뜨렸다는 혐의를 거부했다. 그녀는 시온주의자들의 음모에 가담했다는 혐의를 끝까지 부인했다.[37]

　라브렌티 베리야가 그녀에게 석방됐다는 사실을 알리기 위

---

37 스탈린 시대 말기 반유대주의에 대해서는 Frank Grüner: Patrioten und Kosmopoliten.
　Juden im Sowjetstaat 1941-1953, Köln 2008. 을 참조하시오.

해서 스탈린이 사망한 후 5일이 지나고, 장례식이 끝나고 하루가 지난 1953년 3월 10일에 그녀를 찾았을 때, 그녀가 던졌던 첫 질문은 이오시프 비사리오노비치(스탈린)의 근황이었다. 베리야가 스탈린이 '더 이상 우리와 함께 있지' 않는다는 사실을 말했을 때, 그녀는 실신했다. 이 '사건'에서 기소된 다른 사람들처럼 젬추지나는 복권됐다. 하지만 그녀는 삶의 마지막까지—그녀는 1970년 5월 1일 73세의 나이로 모스크바에서 사망했다—열렬하고 심지어 광적인 스탈린주의자로 살았다. 그녀는 자신과 이혼했을 뿐 아니라, 그녀를 겨냥한 고소를 고려하여 그녀의 권고에 따라 이혼을 결정했던 남편의 행동을 옹호했다. 외모는 그녀에게는 마지막까지 중요했다. 그녀는 사망하기 바로 직전에 매니큐어를 칠했다. 그녀는 '당(黨)의 아줌마'가 아니라, 니나 베르베로바의 특성을 묘사한 표현을 빌리자면 '강철 여인'이었다.

1950년대 말에 그녀는 스탈린의 딸 스베틀라나 알릴루예바에게 이렇게 말했다고 한다. "당신 아버지는 천재였어요. 그는 우리 나라에서 제5열을 없앴어요. 전쟁이 시작됐을 때, 당과 인민은 하나가 됐어요."[38] 그녀는 스탈린 이후 리더십에 대해서는 경멸을 했다. 그리고 그녀는 흐루쇼프를 싫어했다.

폴리나 젬추지나 사건은 더 큰 맥락 속에 놓여 있다. 세계정세는 여러 번 급격한 변화를 겪었다. 히틀러에게 맞서 전투를 벌

---

38 Larisa Vasil'eva: Kremlevskie ženy, 67쪽.

인 동맹국들은 전쟁이 끝난 후 사이가 멀어졌고 반-히틀러 동맹 진영은 해체되어 냉전의 상황으로 돌입했으며 세계는 동(東)과 서(西)로 분열됐다. 1940년대 후반 시온주의와 사해동포주의를 반대하는 캠페인이 초기 냉전과 당시 외무장관인 몰로토프의 직책을 둘러싼 갈등을 고려하여 벌어졌다는 해석은 매우 타당하다. 이전에 소비에트 국가에 도움이 됐던 것이 즉 미국 대사와 그 부인과의 친밀한 개인적인 교제가 그 뒤에 음모와 스파이 행위를 입증하는 자료를 제공했다. 이전에 폴리나를 옹호했던 말, 즉 그녀가 제2의 퍼스트레이디였다는 말은 피해망상에 시달리며 늙어 가는 스탈린이 2인자인 몰로토프를 힐책하고 징계할 필요가 있다는 결정을 내리자마자 폴리나를 반대하는 말로 바뀌었다. 따라서 폴리나 젬추지나의 체포와 재판은 자신의 유고를 염려했던 스탈린이 잠재적 계승자에게 압력을 가하는 수단이었다. [39]

외부의 고조된 긴장과 내부의 새로운 물결의 숙청과 테러의 위협은 스탈린 독재의 마지막 몇 년을 특징짓는 걷잡을 수 없는 반계몽주의를 초래했다. 이 반계몽주의는 '사해동포주의자들, 미국 제국주의의 첩보 요원들, 시온주의자들'과 소위 '크렘린 의사들의 음모'에 맞선 투쟁에서 실효를 거두었고 독재자가 사망하면서 비로소 끝을 맺었다. [40]

---

39 Fitzpatrick: On Stalin's Team, 204-208쪽.

40 Louis Rapoport: Stalin's War Against the Jews. The Doctor's Plot and the Soviet Solution, Toronto 1990.

스탈린의 압력에 굴하지 않았던 극소수의 사람들 가운데 한 사람이 생화학자 리나 스테른인데, 그녀는 끝까지 저항했던 과학 아카데미 회원이며 유대인 반파시스트 위원회 위원이었다. 그녀는 비밀경찰에게 고문당하고 살해당했던 전문가들 가운데 아주 드문 예외였다.[41] 공개재판에 버금가는 심문에서 꿋꿋했던 폴리나 젬추지나는 결국 1953년 3월 5일 스탈린의 사망 때문에 살아났다. 하지만 그녀는 사망할 때까지 사상적으로 스탈린에게 헌신적이었으며 교과서에서는 찾을 수 없는 스탈린주의자로 살았다.

젬추지나의 보기 드문 경력은 시대의 변화와 너무나 많이 얽혀 있어서 순전히 우연이라고 보기 어렵다. 그녀는 유대인 집단 거주지의 초라한 환경 출신이었다. 그녀는 많은 동료들처럼 유대인 집단 거주지를 탈출하기로 결심했다. 그녀는 지하에서 활동했으며 볼셰비키당이 권력을 얻을지 분명하지 않은 때부터 당에 가입해서 투쟁했고 결국 중요한 인물이 됐다. 몰로토프와의 관계 덕분이 아니라 그녀가 자신만의 길을 걸었기 때문이다. 그녀는 지하 투쟁을 했고, 노동자 대학과 향수 공장의 당세포 안에서 여성의 권익을 위한 일을 했다. 젬추지나는 향수 공장 책임자가 됐고 결국 인민위원회 위원으로까지 승진했는데 혁명을 통한

'반사해동포주의자들과 반시온주의자들 캠페인'에 대해서는 G. Kostyrčenko: Stalin protiv 'kosmopolitov'. Vlast' i evrejskaja intelligencija v SSSR, Moskva 2009; Arno Lustiger: Rotbuch: Stalin und die Juden. Die tragische Geschichte des Jüdischen Antifaschistischen Komitees und der sowjetuschen Juden, Berlin 1998; 리나 스테른의 인생행로에 대해서는 https://www.sakharov-center.ru/asfcd/auth/?t=author&i=1484 (2019. 9. 1.)를 참조하시오.

사회 진보의 모범적인 전형이었다. 그녀는 숙청 기간에 자신의 주변에서 일어났던 모든 일을 알고 있었다. 그리고 무엇보다 젬추지나는 수천 건의 사형 집행 영장에 직접 서명했고, 심지어 50년 후에 펠릭스 추예프와의 대화에서 전쟁 전에 소련 국내의 적을, '제5열'을 제거한, 그래서 독일인들을 상대로 한 전쟁에서 승리를 보장한 스탈린을 찬양했던 남편의 견해를 공유했다.[42] '향수 인민위원'으로서 그녀의 명성과 인기는 확실히 두 가지 점에 근거한다. 하나는 정상까지 가는 길을 쟁취했을 때 보여 준 냉혹한 무자비함이고 다른 하나는 혼돈과 곤궁의 시간이 지난 후 사람들에게 더 좋고 더 아름다운 삶을 보증하기 위해 암울한 일상에 약간의 사치를 제공할 수 있는 화장품 트러스트의 경영자로서 능력이다. 이것은 소련이 자국산 화장품을 공급했다는 것을 의미한다. 소련의 자국산 화장품은 구매력을 지닌 소수의 사람을 위해 만든 '수아르 드 파리' 혹은 샤넬 넘버 파이브에 필적할 수 없었지만, 아주 많은 다른 사람들을 위해 삶을 조금 더 낫게 만들 수 있었다.

폴리나 젬추지나는 감옥(루비안카와 마트로스카야 티시나에 있는)의 냄새와 유배지(카자흐스탄에 있는)의 냄새를 알게 됐다. 새로 설립된 마그니토고르스크 야금(冶金) 콤비나트로 가는 철로가 갈라지는 우랄산맥 동쪽 스텝 지대에 있는 도시 쿠스타나이에 도착한 다음에 그녀는 가정 먼저 비누, 양파와 종이를 요구했

<hr />

42 몰로토프는 '제5열'의 제거 필요성을 자주 언급했다. Felix Čuev: Sto sorok besed s Molotovym, 390, 428쪽을 참조하시오.

다. 이 세 가지 물건은 심지어 권력의 정점에서 세상 끝에 있는 유배지로 추락한 후에도 굴복하지 않으려는 여성의 자부심을 표현했다. 비누는 기본적인 청결의 상징이며 강제수용소 안에서의 생존을 위한 투쟁에서 인내와 규율을 표시하는 상징이었다. 양파는 육체적 건강을 유지하고 몸의 쇠약을 피하기 위한 투쟁을 표시했다. 마지막으로 종이는 오직 마르크스주의 고전 작가들의 작품에서 발췌한 문장을 적고 스탈린의 '속성 과정'[43]의 가르침을 흡수함으로써 지적인 건강함을 유지하고 정신적 실재와 인식의 완전한 상태에 도달하기 위한 투쟁을 표시했다. 언제나 검소하게 그리고 우아하게 옷을 입던 여성, 향수 산업을 담당하는 인민위원인 젬추지나는 그녀의 동료들이 대부분 겪지 않았던 세계로 추락했다. 하지만 그녀는 지하 학교에서 생존의 기술을 배우면서 청소년 시절을 보냈기 때문에 그 세계를 감당할 수 있었다.

전혀 다른, 심지어 적대적이지만 많은 점에서 서로 연결된 향수 세계의 대표 인물들인 전설적인 코코 샤넬과 거의 알려지지 않았던 폴리나 젬추지나—몰로토바의 운명은 이렇게 다를 수가 없었을 것이다. 사실 이 두 사람은 완전히 비대칭적이다. 그러나 그들이 서로를 천박하고 너무나 다른 세계에 속한 것으로 여겼지만—한 사람은 부르주아 타락의 전형으로 여기고, 다른 한

---

43 '속성 과정'은 『소련 공산당 역사』라는 책을 줄여서 부르는 말이다. 이 책은 소련 공산당의 생성과 역사에 대한 선전 교과서이다. 1938년 최초로 러시아어로 출판됐다. (옮긴이 주)

사람은 경멸받아 마땅한 추악한 정권의 공무원으로 여긴다—세기말의 시점에서 보면 그들이 많은 공통점을 지녔던 것은 분명하다.

두 여성의 인생행로는 시골에서, 주변에서 시작하지만, 그들은 곧 자국의 정치와 문화의 중심으로 진출했다. 그들은 시골에서 탈출하기를 원했지만, 자신들의 출신 세계와 가족과의 만남을 결코 포기하지 않았다. 두 여성은 언제나 가족에게 의존했고, 시골로 돌아갔으며 외국에 있는 형제자매들과 젬추지나의 관계처럼 그렇게 관계를 유지하는 것이 아주 위험할 때도 관계를 유지했다. 두 여성은 시대의 흐름을 따랐다. 하지만 그들은 시대의 흐름 속에서 자신의 길을 찾았다. 그들은 기회를 이용했고, 남성이 지배하는 세계에서 약점을 확인했으며 남성들로부터 성장을 위한 힘을 끌어냈다. 그들은 상류 사회가 제공해야만 했던 것을 취했지만 상류 사회에 의존하지 않았다. 그들의 출신 배경은 아주 달랐다. 한 사람은 소시민으로 가톨릭 신자였고, 다른 사람은 소시민으로 유대교 신자였다. 그들은 출신 배경을 뛰어넘기를 원했다. 그들은 세계사적 사건들의 혼란 속으로 걸어 들어갔다. 세계사적 사건들의 혼란은 모든 것을 뒤죽박죽으로 만들었지만, 또한 전쟁 전의 확고하게 질서가 잡힌 상황에서는 불가능했던 기회와 직업 전망을 제공했다. 그들은 주변 출신이지만, 중심으로 진출했다. 그들은 질서의 붕괴에서 이득을 얻었다. 젬추지나가 샤넬보다 더 많은 이득을 얻었다. 러시아 혁명은 유대인들에 대한 차별을 멈추게 하는 것처럼 보였다. 유례없는 신분 상승을 위한 길이 열렸다. 그리고 많은 사람은 권력의 최상 계층에 올라섰다.

니나 베르베로바에게 그들은 '강철 여인'이었다. 그들은 독립적이고, 자부심이 넘치고, 자신들의 목표를 향해 에너지 넘치게 일하고, 혹시 당할지도 모르는 잠재적인 희생에 크게 개의치 않았다. 그들은 일시적인 패배를 가볍게 떨쳐 버렸다. 그들은 폼이 났고 폼에 신경을 썼다. 그들은 성질이 아주 비슷했다. 그들은 결연히 각자의 계획을 밀고 나갔다. 한 여성은 재봉점, 부티크와 성공을 거둔 제품들로 시작한 자수성가한 여성으로, 다른 여성은 '위대한 스탈린의 대의'에 열정적으로, 심지어 광신적으로 헌신한 조직자, 경영자, 공무원으로. 이 두 여성은 워크홀릭이었다. 한 여성은 세계 최상급의 개인 기업을 세웠고, 다른 여성은 미래 초강대국의 국가 트러스트를 이끌었다. 샤넬은 부, 사치 그리고 여가의 세계에서 살았고, 젬추지나는 조금 더 금욕적이고 엄격한 환경에서 살았다. 코코 샤넬은 자택, 호화 저택, '리츠' 호텔의 스위트룸을 소유했고, 반면 폴리나 젬추지나는 자신에게 할당된 숙소에서, 하지만 권력의 중심에서, 크렘린에서, 정부 청사에서, 정부 소유의 다차(주말농장)에서 살았다.

한 여성은 섬세한 감각과 믿을 수 있는 미각을 지녔지만 굳은 확신을 갖지 못했다. 다른 여성은 자신의 능력과 흔들리지 않는 확신에 의존했기 때문에 모든 일이 순조롭게 진행됐다. "대패질하는 곳에 대팻밥 떨어지기 마련이다"라는 스탈린 시대의 구호는 그 여성의 구호였다. 한 여성은 수치스러운 나치 협력을 용

서받고 해외로 이주해서 최고 수준의 생활 방식을 계속 유지할
수 있었다. 반면 다른 여성은 음모에 희생됐고 권력의 핵심층(몰
로토프의 아내로서)에 속했다는 이유로 대가를 치렀다. 즉 그녀는
공산당에서 일시적으로 제명되고 국가 연금 수급자의 지위로 강
등됐지만, 스탈린 시대의 다른 희생자들이 치렀던 대가에 비하
면 그녀가 치렀던 대가는 크지 않았다. 한 여성은 평생 유대인에
대한 적대감을 숨기지 않았던 반면, 다른 여성은 공산주의자라
는 이유로 오히려 '유대인이 아닌 유대인'(이삭 도이처)이었음에
도 결국 자신이 '유대 민족의 딸'임을 고백했고 그 때문에 '사해
동포주의'와 '시온주의자'라는 혐의로 처벌받을 위기에 빠졌다.

　그러나 결국 두 여성은 처벌을 면하게 됐다. 샤넬은 나치의
종말, 프랑스의 해방 그리고 나치에 협력한 것 때문에 위험에 빠

| 로잔의 가브리엘 샤넬 묘지

| 모스크바의 폴리나 젬추지나 묘지

질 뻔했지만 몇몇 영향력 있는 사람들의 도움으로 처벌을 면하게 됐다. 젬추지나는 스탈린의 사망 덕분에 풀려났고 복권됐지만, 두 번째 경력을 시작할 수 없었다. 그녀의 남편인 몰로토프는 몽골 인민공화국 대사로 그리고 빈에 있는 국제원자력기구 대사로 밀려났다. 반면 젬추지나는 열심히 공부했고 딸과 손주들을 돌봤다. 폴리나 젬추지나가 사망할 때까지 지속됐던 비극적 사랑의 낭만적 신화가 곧 늙은 부부 주변에서 형성됐다. 사실 몰로토프가 뉴욕, 베를린 그리고 런던에서 "폴린카, 나의 사랑"—"지금 내게는 단 한 가지 소망뿐이에요. 역겨운 뉴욕에서 벗어나 당신과 함께 있는 거예요." "우리는 곧 다시 만날 거예요. 당신에게 키스하고 당신을 껴안을 거예요,"—에게 보냈던 많은 편지들은 수십 년 동안 지속됐던 격렬한 사랑을 증명한다. [44] 그녀는 1970년 4월 1일에 그는 1986년 11월 8일 96세의 고령에 사망했다. 노보데비치 공동묘지에서 열린 그녀의 장례식에서는 소련 국가가 연주됐다. 몰로토프의 장례식에서는 소련 국가 연주는 허락되지 않았다. 페레스트로이카는 시작됐고 페레스트로이카와 함께 소련은 종말을 맞았다. [45]

코코 샤넬이 패션 무대에 되돌아왔을 때, 크리스티앙 디오르와 이브 생 로랑을 포함한 새로운 세대의 디자이너들이 유행을 선도하고 있었다. 샤넬은 '아웃'된 것처럼 보였다. 하지만 1954

---

44 Nikonov: Molotov. Naše delo pravoe, hier 264쪽에 있는 수많은 편지 구절을 참조하시오.

45 Feliks Čuev: Sto sorok besed s Molotovym, 173쪽.

년 샤넬은 다시 돌아왔다. 장 콕토는 평범에 맞선 투쟁을 다시 시작한 '마드무아젤 샤넬의 귀환'을 축하했다.[46] 샤넬은 1971년 1월 10일 87세로 리츠 호텔의 스위트룸에서 사망했다. 몰로토 프와 폴리나 젬추지나가 모스크바의 노보데비치 수녀원 저명인 사 묘지에 묻혀 있는 반면, 샤넬은 프랑스가 아닌 스위스 로잔 에 묻혀 있다.

---

46 Jean Cocteau: Le retour de Mademoiselle Chanel, in: Femina, mars 1954, Jean-Louis Fr
   oment: No. 5 Culture Chanel, Ausstellung im Palais de Tokyo, New York 2013, 5쪽에
   다시 인쇄되었다.

다른 세계에서:

시체 소각장의 연기와 콜리마의 냄새

역사적 재앙이 후각의 측면도 갖고 있다는 사실을 언급하는 것은 대단히 진부한 것처럼 보인다. '극단의 시대'(에릭 홉스봄)에 일어났던 일에 대한 우리의 지식은 주로 상상할 수 없는 범죄와 잔혹 행위를 포착했던 사진들에 의해서가 아니라, 범죄와 잔혹 행위에 동반되지만 전달될 수 없는 지옥의 냄새에 의해 형성됐다. 하지만 이러한 냄새는 존재했다. 우리가 20세기를 회상할 때 우리 눈앞에 있는 모든 끔찍한 광경에는 냄새가 스며 있다. 우리는 그 냄새를 생존자들의 증언에서 추론할 수 있다. 동부전선에 투입된 나치 암살단은 자신들의 범죄를 완수하기 위해서 엄청난 양의 알코올을 마셨을 뿐 아니라, 작전을 완수하기 위해서 향수를 공급받았던 것으로 알려진다. 이와 비슷하게 소련 '내무인민위원회'의 사형 집행단도 부토보와 코무나르카 사격장에서 처형 이후에 고무 앞치마를 벗고 향수를 뿌렸던 것으로 알려진다.[01] 나치의 선전부장 괴벨스가 제작했던 프로파간다 영화를 보면 카

177

틴 숲에서 폴란드 장교들이 부검을 위해 시체를 관에서 꺼내는 장면이나오는데 의료진과 법정 인력이 시체 썩는 냄새를 맡지 않기 위해서 입에 마스크를 쓰고 있었다. 해방된 베르겐-벨젠과 부헨발트 수용소를 시찰할 때 독일인들이 보여 준 미국 영화에서 독일인들이 산더미를 이룬 해골을 보고 코에 손수건을 대고 시선을 돌리는 장면을 볼 수 있다.

만약 알랭 코르뱅의 20세기의 『악취와 향기』의 후속 작품을 시도하는 사람이 있다면, 자료는 부족하지는 않을 것이다. 강철 폭풍과 가스 연기로 뒤덮인 전쟁터의 냄새가 있다. 불에 탄 땅과 대규모 무덤, 수송 열차에 꽉 들어차 있는 시체, 책을 불태우는 장작더미의 냄새, 가스실에 유입되는 가스의 냄새 그리고 시체 소각장에서 피어오르는 연기의 냄새, 봄이 추위를 녹이고 얼음 속에 보존된 시체들이 물 위로 뜰 때 비로소 펼쳐지는 부패의 악취, 야간 폭격으로 파괴된 불에 탄 도시의 냄새 그리고 그에 동반하는 모든 것, 즉 범죄의 한가운데에 악취가 제거된 정상 상태, 전쟁 중 어린이들을 위한 크리스마스트리의 향기, 점령된 도시들에서 기념 만찬과 초연을 하는 극장에서 흘러나오는 향기가 있다. 20세기 냄새의 풍경을 재구성하기 위해서 수행해야만 하는 것에 대해 예를 들면 한스 J. 린디스바허의 독일 강제수용소와 집단 학살 수용소에 대한 기억과 목격자들의 말을 다룬 읽기 자료 그리고 소비에트 수용소 세계의 냄새에 대한 예카테

---

01 부토보와 코무나르카에서의 총살 절차에 대해서는 Schlögel: Terror und Traum, 617 쪽을 참조하시오.

리나 쉬리츠카야의 논문에서 몇 가지 힌트를 읽어 낼 수 있다.[02]

후각의 영향을 받은 지각 전체는 이미 20세기 초의 불안한 동시대인들에게 영향을 미쳤다. 파시즘을 찬향하는 필리포 토마소 마리네티에 의해 쓰인 1909년의 '미래파 선언문'에는 이렇게 쓰어 있다. "전쟁은 아름답다. 전쟁은 발포, 연속 포격, 휴전, 향수 그리고 부패의 냄새를 결합해서 하나의 심포니를 만든다. (…) 미래주의의 시인들과 예술가들이여, (…) 새로운 시학과 새로운 조각이 너희에 의해 조명되도록 전쟁 미학의 이 원칙들을 기억하라!"[03]

수용소 세계에 대한 자각은 주로 이미지들에 의해 형성된다. 이 사실은 특히 독일 강제수용소와 죽음의 수용소에 적용된다. 죽음의 공장의 이름들과 이미지들은 연결되어 있다. 이 이미지들은 기차들이 통과해서 들어온 아우슈비츠-비르케나우 수용소의 문, 감시탑과 전기 철조망, I. G. 파르벤[04]의 청사진과 동맹국들의 항공사진에 찍힌 기하학적으로 정돈된 가건물, 시체 소각장의 소각로, 경비 요원들의 사무실과 주택 등이다.

수용소에서 살아남은 사람들의 기억 속에는 후각의 차원도 있다. 즉 죽음을 의도하여 설계된 위생 시설 때문에 파멸할 수밖에 없는 상황에 처한 사람들이 살았던 장소에서 풍기는 악취. 수

---

02 Rindisbacher: The Smell of Books; Ekaterina Žirickaja: Zapach Kolymy: http://www. in telros.ru/readroom/teoriya-mo-dy/28-2013/20289-zapah-kolymy.html (2019.9.1.).

03 Rindisbacher: The Smell of Books. 에서 인용함.

04 I. G. 파르벤은 존재하던 당시 세계 최대의 화공 기업이었으며, 산업 전체에서 보아도 제너럴모터스, 미국 철강, 스탠더드오일 뉴저지에 이어 세계 4위 규모의 기업이었다. 나치 정권 패망 이후 전범 기업으로서 해체당했다. (옮긴이 주)

만 명의 사람이 아주 좁은 공간에 쑤셔 넣어지고, 굶주림, 탈진과 전염병 때문에 죽음에 노출됐던 게토를 생각해 보자. 체계적인 대량 학살의 후각적 상징은 시체 소각장에서 피어오르는 연기의 냄새인데, 그 냄새는 생존자들과 수용소 근처에 살았던 사람들의 기억 속에서 계속 떠오르고, 이 죽음의 공장에서 일했던 사람들의 의식 속에도 남아 있다. 아우슈비츠 사령관 루돌프 회스는 이렇게 회고한다. "나는 공동묘지를 열고 시체들을 끌어내서 불에 태우는 동안 직접 그 끔찍한 악취를 맡으면서 여러 시간을 서 있어야만 했다. 나는 또 가스실의 엿보는 구멍으로 죽음의 과정 그 자체를 지켜보아야만 했다. 의사들이 내가 죽음의 과정을 보길 원했기 때문이다." 계속해서 회스는 말한다. "야외에서 처음 시체를 소각할 때 이러한 방법으로는 계속할 수 없다는 것이 분명해졌다. 궂은 날씨이거나 강풍이 불 때는 불에 타는 시체의 악취는 수 킬로미터 떨어진 곳까지 퍼져 나갔고, 근처에 사는 주민들은 나치당과 행정 관청 편에서의 공식적인 역선전에도 불구하고 유대인들이 불에 태워져 죽임을 당한다고 이야기를 하게 되었다. 유대인 몰살에 가담한 나치 친위대원들은 모두 사건들 전체에 대해서 침묵해야 하는 엄격한 의무가 있었다. 하지만 이후의 나치 친위대원에 대한 소송 절차가 보여 주었듯이, 반드시 지켜지지는 않았다. 가혹한 처벌도 그들의 수다스러움을 중단시킬 수는 없었다."[05]

---

05 Rudolf Höß: Kommandant in Auschwitz. Autobiographische Aufzeichnungen des Rudolf Höß, hg. von Martin Broszat, Müuchen 1963, 166, 132쪽.

시체 소각장에서 나오는 연기와 재의 냄새는 깨끗함, 청결과 위생이라는 나치의 강박적인 수사법과 대응되는 것이다. '벌레 청소', '격리', '위생 조치', '피의 순수성 보존', '소독' 등은 전진하는 암살단의 길을 따라서 그리고 가스실에서 수행됐던 체계적 살해의 어휘이다. 히틀러 제국에서의 살해 체제의 후각의 측면은 문서로 된 증거에 기록되었지만, 올더스 헉슬리의『멋진 신세계』와 같은 문학작품에서도 부각됐다.[06]

생존자 올가 렌젤은 '금발의 천사' 이르마 그레제의 모습에 구현된 향수와 연기의 대비를 이렇게 묘사한다. "그녀는 나타날 때마다 기이한 향수의 향기를 풍겼다. 그녀의 머리에는 온갖 유혹적인 향수가 뿌려졌다. 가끔 그녀는 자신의 향수 혼합물을 혼합했다. 그녀의 과도한 향수 사용은 계획적으로 세밀하게 꾸며진 잔인한 짓이었을 것이다. 육체적으로 이미 끝장났던 죄수들은 이 향기를 기쁘게 들이마셨다. 이와 대조적으로 그녀가 우리를 떠나고 담요처럼 수용소 전체를 덮었던 불에 탄 인간의 육체에서 나는 퀴퀴하고 역겨운 냄새가 우리 머리 위를 지나갈 때, 그 분위기는 더욱 참을 수 없었다."[07] 훈련받은 화학자 프리모 레비도 아우슈비츠-모노비츠에 있는 부나-공장에 들어섰을 때를 이렇게 기록한다. "마룻바닥은 너무 깨끗하고 윤이 났다. (…) 냄새는 채찍을 맞은 것처럼 나를 처음으로 되던졌다. 즉 약한 향기와

---

06 Olga Lengyel: Five Chimneys: The Story of Auschwitz, Chicago 1947, Rindisbacher: The Smell of Books. 240쪽 이하에서 인용함.

07 Olga Lengyel: Five Chimneys, Rindisbacher: The Smell of Books. 242, 243쪽에서 인용함.

유기 화학 실험실로. 잠시 동안 대학의 크고 어둑어둑한 방, 나의 네 번째 해, 이탈리아의 5월의 훈훈한 공기가 아주 난폭하게 내게 돌아와서 다시 이내 사라진다."[08]

예카테리나 쉬리츠카야는 『콜리마의 냄새』라는 논문에서 20세기 러시아의 유명한 작가 중 한 사람인 바를람 샬라모프의 작품에 묘사된 수용소 세계의 지각을 추적했다. 샬라모프는 총 17년의 시간을 여러 수용소에서, 주로 콜리마[09]에서 보냈다. 그는 1953년 석방된 이후 『콜리마 이야기』를 썼다. 쉬리츠카야는 『콜리마 이야기』를 코로 읽으라고 제안한다. 쉬리츠카야는 샬라모프의 의식이 주로 몸, 체중 감량, 굶주림으로 인한 펠라그라(니콘틴산(酸) 부족으로 생기는 병)와 괴혈병, 육체의 퇴화, 소비에트 수용소 세계에서 '영양실조'라고 지칭됐던 것을 다룬다고 지적한다. 샬라모프는 쇠약의 급속한 진행, 체계적인 탈진, 탈수증을 분석할 뿐 아니라 관찰자에게 극히 의심스럽게 보이는 다른 죄수들의 뺨이 불그스레한, 영양이 충분한, '과도한 살'을 증명하는 몸도 분석한다. 수용소에서는 몸이 마음에 대한 우세를 되찾고, 생존에 필요한 모든 감각을 동원한다. 생존 투쟁은 지각, 본

---

08 Primo Levi: Survival in Auschwitz and The Reawakening, New York 1986, Rindisbacher: The Smell of Books. 244쪽에서 인용함.

09 특히 콜리마강 상류 강가에 그리고 그곳 콜리마산과 체르스키산에 1987년까지 몇 개의 강제 노동 수용소가 있었다. 그곳에서 수십 년 동안 수십만 명의 죄수가 인간 이하의 조건에서 그리고 특히 얼음장 같은 북극의 추위에서 특히 금을 찾기 위해 동원돼야만 했다. 금 채굴은 노천 광산에서 낮에 진행됐다. 죄수들은 소련과 다른 나라들에서 왔다. 예를 들면 제2차 세계대전의 많은 전쟁 포로가 수백 킬로미터를 걸어서 얼음장같이 추운 콜리마에 도착했다. 그 후 그들은 금, 아연 혹은 우라늄을 채굴하기 위해서 일부는 수년을, 일부는 수십 년을 시베리아의 산에서 보냈다. (옮긴이 주)

능, 그리고 정말 후각을 예민하게 만든다. 문명, 문화의 냄새들, 이 모든 것은 콜리마의 죄수들이 뒤에 남겼던, 그 의미를 상실했던 세계에 속했다. 과거의 삶은 '꿈, 허구'로 보인다. 미래는 존재하지 않는다. "순간, 시간, 잠자리에서 일어나서 잠자리에 들기까지의 하루가 현실이었다. 누구도 더 멀리 보지 못했고 골똘히 생각할 힘도 없었다. 사람들은 오늘을 살아남아야만 했다. 중요한 것은 오직 생명을 연장하고 죽음을 피하는 데 도움이 되는 것뿐이었다. 동물의 왕국처럼 콜리마에서 냄새는 생존 혹은 죽음의 위험의 표시였다."[10] 극도로 추운 콜리마에서는 일 년에 여덟 달은 죽음의 냄새와 부패의 냄새가 나지 않았다. 눈은 쌀쌀하고 '추상적인' 냄새를 품었다. 추위는 분노와 쓰레기를 응고시켰다. 변소는 얼었다. 시체들은 얼음 기둥이 되고 봄이 올 때까지 통나무처럼 야외에 쌓였다. 봄이 오면 시체들은 녹아서 부패되기 전에 덮개가 벗겨지고 매장됐다. 빵 냄새는 생존을 상징한다.

아우슈비츠에서 죽음의 악취는 가스와 연기로 존재했지만, 콜리마에서 죽은 사람들은 악취를 풍기지 않는다고 샬라모프는 가혹하게 말한다. '이 썩지 않는 시체들'은 너무 야위었고 피가 완전히 빠졌으며 영구 동토층에 보존되었다. 강제수용소에서 사람들은 대부분 살해됐기 때문이 아니라, 삶을 허락받지 못했기 때문에 사망했다.

콜리마의 특징적인 냄새는 죽음의 냄새가 아니라 삶의 냄새

---

10 Ekaterina Žirickaja: Zapach Kolymy: http://www.intelros.ru/read-room/teoriya-mody/28-2013/20291-zapah-kolymy.html (2019.3.18.).

였다. "빵이 죄수의 가치 목록의 첫자리를 차지했다. 강제수용소에서는 빵이 모든 것을 결정했다. 빵 냄새가 콜리마에서 의미했던 것을 이해하기 위해서 우리는 빵 냄새가 지각됐던 맥락을 재구성해야만 한다. 달리 표현하면 빵 냄새가 죄수들에게 무엇이었는지를 이해해야만 한다. 샬라모프의 이야기는 보통 사람에게는 정말 환상적인, 빵을 지각하는 미묘한 차이들을 다양하게 제공한다." 평범한 일상생활에서 아주 흔한 빵을 얻고 먹는 행위는 강제수용소에서는 복합 감정, 촉각, 미각 그리고 후각의 미묘한 차이의 다양성을 보였다. "강제수용소 수감자가 58조항에 해당하는 사람(58조항에 의해 유죄판결을 받은 정치범)이든 아니면 가망이 없는 사람(자포자기한 죄수를 지칭하는 표현)이든 상관없이 허기, 신경을 갉아먹는 허기—강제수용소 수감자의 지속적인 상태—와 비교할 수 있는 것은 세상에 존재하지 않는다." 빵은 죄수에게 다음 날도 살아남으리라는 희망을 주었던 유일한 에너지의 원천이었다. 초콜릿과 연유는 꿈에 불과했다. 현실에, 지금 그리고 여기에, 지금의 삶에, 공허한 환상이 아니라 모든 감각으로 지각할 수 있는 현실로 존재했던 유일한 것은 빵이었다. "빵은 음식의 상징, 생명의 물질적 구현, 종교적 의식에서의 그리스도의 몸처럼 생명 그 자체가 되었다." 모든 것이 빵에 달려 있고 하루의 일과를 결정했다. 빵을 먹고, 빵을 맛보고, 빵을 입 안에 물고, 빵을 씹는 특별한 방법이 있었다. 먹지 않고 남겨 둔 빵은 해당 죄수가 삶을 포기했다는 신호였다. 그리고 빵을 받지 않겠다는 것은 사형선고와 같은 뜻이었다. 죄수들은 빵을 얻기 위해서 온갖 일을 마다하지 않았다. 접근할 수 없는 빵으로 인한 고통은 냄새를 통해 고통으로 변한다. 이러한 달콤한 삶의 냄새는 콜리마에서 억압적인 냄새들 가운데 하나가 된다. 죄수들의 모든 인간 감정은 무감각해지지만, 음식과 향기와 관련된 후각과 미각은 극단에 이르기까지 날카로워진다. "배고픈 죄수의 미각은 고조된다. 냉동 양배추로 만든 수프는 '최고의 우크라이나식 양배추 수프'와 같은 냄새가 난다. 눌어붙은 카샤[11]의 냄새는 초콜릿을 기억나게 한다."라고 샬라모프는 쓴다. 샬라모프의 감각은 철저히 변형되어서 자유를 얻고 15년이 지났음에도 그에게는 감자가 독처럼 보였다.[12]

---

11 카샤는 물이나 우유에 곡물을 넣어 끓인 러시아 요리로, 러시아, 벨라루스, 우크라이나, 폴란드 등에서 먹는다. (옮긴이 주)

12 Ekaterina Žirickaja: Zapach Kolymy; Warlam Schalamow: Die Auferweckung der Lärche. Erzählungen aus Kolyma4, hg. von Franziska Thun-Hohenstein, übersetzt von Gabriele Leupold, Berlin 2011.

전쟁이 끝난 후:

인간은 빵만으로 살 수 없다
새로운 유행 스타일과 '스틸야기'[01]

폴리나 젬추지나는 석방되고 복권된 후 향수 산업으로 돌아가지 않았으며, 그녀가 또 다른 직책을 맡지 않았던 것은 확실하다. 전쟁 때문에 대대적으로 파괴된 후에 산업은 급속도로 재건됐다. 결국 경공업에 더 많은 투자가 이루어져야 했고 소비자들의 요구가 고려되었어야 했다. 1953년 10월 소련의 각료 회의와 공산당 중앙위원회의 법령인 '생활필수품의 생산량 증대와 품질 개선에 관하여'에 따라서 향수 생산량은 두 배로 늘어나야 했다. 원료는 크림반도, 우크라이나, 조지아 그리고 중앙아시아에 있는 농장에서 조달됐다. '합성 향수와 천연 향수를 개발하기 위한 연구소 연합'이 1947년에 모스크바에 설립됐다. 당시 가장 큰 향수 공장은 칼루가 콤비나트였는데, 합성 향기의 생산이 전문이었다. 칼루가 콤비나트는 독일 포로들의 노동력을 사용해서 건

---

01 '스틸야기'는 러시아 말로 '유행에 따라가는 사람', '옷차림의 형식을 중요시하는 사람'
    이라는 뜻이다. (옮긴이 주)

설됐으며 일부분은 전쟁 중 미국의 임대차 수송품에서 유래한 기계들을 갖추고 있었다. 1950년대 중반 독일인들에 의해 파괴됐던 레닌그라드, 하르키우와 미콜라이프에 있던 향수 공장과 화장품 공장은 조업을 재개했다. 카잔, 스베르들롭스크, 타슈켄트와 트빌리시에 있는 공장들은 다시 민수 물자를 생산하기 시작했다. 물품의 가짓수는 바뀌었으며 은방울꽃, 스페이드의 여왕, 루살카 등과 같은 새로운 브랜드가 도입됐다. 시프레 향수와 트로이노이 향수는 1950년대 초에 특히 인기가 있었다. 그리고 이미 1953년에는 산업이 전쟁 전의 수준에 다시 도달했다.[02]

소련 향수 역사의 전문가인 나탈리아 돌고폴로바는 1950년대와 1960년대를 '소련 향수 제조의 황금기'로 묘사한다. 새로운 7개년 계획(1958년에서 1965년까지)의 목표는 지나치게 높았다. 생산된 향수, 오드콜로뉴, 향의 총량은 1965년에 약 30,300톤에 달했으며, 이 양은 매년 소련 국민 1인당 평균 130그램에 해당했다. 이로써 1960년대 후반에 소련은 가장 중요한 자본주의 국가들을 추월했다. 소련은 국내시장뿐 아니라, 갈수록 더 수출을 위해서도 향수를 생산했다. 1966년에는 향수병 오십만 개 이상이 프랑스, 핀란드, 캐나다와 서독, 특히 동구권 나라들과 제3세계로 수출됐다.

전쟁이 끝난 후 스탈린 시대의 첨단 패션은 향수 산업을 장악했다. 그리고 1947년에는 스탈린 상이 향수에게 돌아갔다. 향

---

02 Parfjumernyj forum에 실린 Severnoe sijanie의 레닌그라드 공장이 파괴된 모습을 찍은 사진 그리고 Natal'ja Dolgopolova: Parfjumerija v SSSR, Kniga vtoraja, 16쪽을 참조하시오.

수병은 이제 화려하게 장식됐다. 그리고 가장 비싼 향수의 포장은 아틀라스 비단과 잘 다듬어진 크리스탈로 만든 예술품과 비슷했다. 이 향수들은 성장한 국민적 자부심과 애국심을 반영한 것으로 여겨졌다. 향수들의 이름은 공작석(孔雀石), 자수정, 사파이어, 모스크바 토박이들—수도 모스크바 건설 800주년을 기념하여—과 붉은색과 금색으로 포장된 '소련 군대 기념일' 등이다. 선물 상자는 너무 고급이어서 구매자들은 향수를 다 쓴 다음에 선물 상자를 버리기를 꺼렸다. 1950년대와 1960년대 후반에 산업은 스탈린 시대의 '과장된 장식의 건축양식'에서 많은 부분이 전쟁 이전의 근대를 상기시켰던 '새로운 소박함'으로 옮아갔다.

일리야 에렌부르크의 소설 『해빙기』는 이 시기에 이름을 제공했다.[03] 해빙기는 이미 전쟁 직후에 낌새가 보였다. 해빙기에 히틀러를 패배시키고 동시에 유럽을 알게 된 군인들은 평화가 시작됐고 승리를 쟁취했기 때문에 자신들의 고통과 박탈이 보상을 받고 승리의 열매가 수확될 거라는 희망에 부풀어 고향으로 돌아갔다. 군인들은 외국에서, 심지어 패배한 나치 독일에서 놀라울 정도로 높은 생활 수준을 알게 됐다. 군인들이 돌아왔을 때, 그들은 자신들의 경험과 인상뿐 아니라, 해방 지역과 점령 지역에서 엄청나게 많은 물건—가구, 옷, 피아노, 장편영화에서 향수까지—을 '노동자들의 조국'으로 가지고 왔다.

---

03 해빙기로 알려진 시기에 대해서는 Ilja Fhrenburg: Tauwetter, Berlin 1957과 Sergei Zhuk: Rock and Roll in the Rocket City: The West, Identity, and Ideology in Soviet Dniepropetrovsk ,Baltimore 2010; 2017년 모스크바 트레차코프 미술관에서 열린 중요한 '오테펠' 전시회와 관련된 카탈로그와 자료들을 참조하시오.

│ 오드콜로뉴의 모형-향수병 '랠리', 1986년

　사람들은 오랜 시간을 더 기다려야만 했다. 독재자의 죽음으로 인해 비로소 더 나은 삶에 대한 소망이 결실을 보는 시간이 시작됐다. 그때 수십만 명이 수용소에서 돌아왔고 처음으로 그들이 당했던 부당한 일과 그들에게 가해진 고통을 말할 수 있게 됐다. 나라의 파묻히고 억악됨 힘이 활기를 띠었고 점차적으로 효력을 발휘할 수 있었다. 마침내 소수를 위한 과장된 장식의 궁전 대신에 다수를 위한 주택이 건축되고, 현재를 개선하는 것이 유토피아 미래를 창조하는 것에 우선하는 것처럼 보였던 시간이 시작됐다. 하지만 블라디미르 두딘체프의 중요한 소설들 가운데 한 소설의 제목인『인간은 빵만으로 살 수 없다』가 암시했듯이, 언제나 이 이상의 것이 문제가 됐다.[04]

　이 소설은 정신적 자유, 활기 넘치는 창조적 에너지의 활동, 수십 년 동안 조종당한 속박에서 탈출하는 것, 검열과 억압 등을

04　Vladimir Dudinzew: Der Mensch lebt nicht vom Brot allein, Gütersloh 1958.

다루었다. 화가들은 스탈린 시대에 금기시되고 공적 영역에서 사라졌던 소비에트 아방가르드의 밝은색과 열광시키는 추상을 발견했다. 신고전주의의 화려함이 몇 년 지속된 후 건축가들과 디자이너들은 단순한 형태의 아름다움을 재발견했고 그들의 재능을 일상의 물건과 소비재 제작에 투자했다. 반항하는 청년들은 대담하게도 현란한 재킷, 통 좁은 일자바지, 중절모 등으로 자신들의 고유한 스타일을 발전시켰고 공중 앞에서 자랑했다. 소련 영화의 새로운 리얼리즘은 칸과 베니스에서 상을 받았다. 밴드들은 문화 궁전에서 '차타누가 폭소 열차'를 연주했고, 그야말로 뿌리째 뽑혔던 사회학과 심리학 같은 학문 분과는 재건됐다. 각국에서 온 청년 일만 명은 1957년 세계 청소년 페스티벌이 열린 며칠 동안 모스크바를 국제도시로 탈바꿈시켰다. 그리고 소련엔 최초로 우주 비행을 한 젊고 카리스마 있는 영웅, 유리 가가린이 있었다. 당시는 소련이 낙관과 스스로의 힘에 대한 상당한 자신감을 보인 시기였다. 모든 '비소비에트적', '비애국적', '퇴폐적' 현상들에 맞서 싸웠던 풍자적인 잡지들은 시대의 흐름에 맞서 투쟁했지만 허사였다. 붉은 광장에는 마치 나방 혹은 먼 별에서 온 기묘한 생명체처럼 디오르 마네킹이 움직였다.[05]

이것이 생산량과 총 톤수 이상의 것으로 깊은 인상을 주었던 '소련 향수 산업 황금시대'의 배경이었다. 해빙기도 고유의 냄새를 지녔다. 향수의 범위는 확대됐고, 아주 다양한 취향과 성향

05 Schlögel: Das sowjetische Jahrhundert, 608–612쪽.

을 고려해 무엇인가를 제공했고, 심지어 아주 넓은 세계의 향수가 오랫동안 폐쇄적이었던 제국 안으로 유입됐다. 향수는 해빙기와 '평화 공존' 정책 시기의 중요한 사건들을 반영했다. 향수는 산호, 크리스탈, 호박 같은 자연미를 지닌 물체의 이름을 따서 명명됐다. 또한 차르 살탄 이야기 혹은 세혜라자데 이야기 같은 문학작품에서 이름을 가져오기도 했다. 향수는 신화의 인물들을 암시했다. 요컨대 삼손, 프로메테우스, 목욕하는 비너스. 그리고 향수는 갈수록 더 친밀함과 사적 영역을 암시하는 이름을 가졌다. 또는 비올레타, 베로니카, 오스카나, 당신을 위해 혹은 오직 당신. 스탈린 이후 시대에는 결혼식 향수, 리리카, 행복한 생일 등과 같은 서정적, 낭만적인 개인의 삶과 관련된 이름이 주를 이루었다. 향수는 또한 다민족 국가의 다양성을 반영했다. 향수의 이름은 나의 아제르바이잔, 고향 카르코프 혹은 저녁의 리비우 등이었다. 제국의 다양성은 향수병에서도 나타났다. 즉 타슈켄트의 향수 공장은 구르-아미르와 레기스탄과 같은 제품을 시장에 내놓았다. 트빌리시는 이베리아 향수를 생산했고 우크라이나에 있는 공장은 우크라이나 전통 민속 문양으로 장식된 향수병을 내놓았다.

놀라울 만큼 다양한 향수와 향수병 디자인은 향수병, 상자 그리고 선물 세트의 제작이 소련 예술가들과 디자이너들이 풍부한 환상을 펼친 놀이터가 됐다는 사실을 보여 준다. 따라서 돌고폴로바가 지적했듯이 당시 소련에서 활동했던 이 디자이너들과 약 20명에 달하는 조향사의 이름이 '생산 공동체'의 익명성 속으로 사라지고, 예술가 동맹에 속한 예술가 16,000명의 이름이 모두 거론된다면 그것은 너무 부당하다.[06] 1970년대에 소련 향수 산업은 700개 상표의 향수 제품과 450개 상표의 화장품을 자랑했다. 이것은 혁명 이전에 675개 상표의 제품을 단독으로 생산했던 랄레 회사의 생산과 비교하면 상대적으로 그다지 대단하지는 않다.[07] 기술에 대한 열광 때문에 1960년대 초에 심지어 거리와 광장에 자동판매기가 설치됐다. 신사들은 이 '굉장한 분무기'에서 15코펙에 향수를 구입해서 뿌릴 수 있었다.[08]

자동화, 화학화, 디자인에서의 진보에도 불구하고 복잡하고 느린 계획경제에서 초래된 문제들이 남았다. 유치하게 디자인된 라벨, 나쁜 품질, 크리스탈 표면을 연마하고 래커로 칠하는 것에 책임을 져야 할 기술 작업의 후진성에 대한 불만이 쏟아졌다. 계획경제에서 흔히 있는 분배 문제와 판매 문제 그리고 휘발유의 휘발을 방조했던 부적절한 보관, 부족한 노동 훈련과 다른 요소들로 인한 불량품 생산 등이 드러나게 됐다. 안토니나 비트코프스카야와 같은 중요한 조향사는 '소유즈파르퓨머프롬'의 자의적인 리더십과 전권을 가진 12명으로 구성된 '맛보기 위원회'와 함께한 '끔찍했던 시간'을 기억한다. 이 12명의 '내숭 떠는 여자들'은 향수의 세계를 어떻게 구성해야 할지에 대해 책임이 있

---

06 개별적인 장인에 대해서는 Dolgopolova: Parfjumerija v SSSR. 310-324쪽; Istorija par fjumerii. čast' 3. Flakony. Prodolženie https://www.livemaster.ru/topic/309251-Istori ya-parfjumerii-chast-3-flakony-prodolzhenie (2019.3.11.)을 참조하시오.

07 Dolgopolova: Parfjumerija v SSSR, II, 167쪽.

08 Dolgopolova: Parfjumerija v SSSR, II, 121쪽.

었다. [09] 하지만 향수 산업을 재조직하고 간소화하자는 전문가들의 제안은 무시됐고, 개혁은 중지됐으며, 사회주의 경쟁은 그 상황에 도움을 줄 수 없었다. 그 결과 고객들은 등을 돌렸고 갈수록 더 외국 시장을 이용했다. 화장품 가게들 앞에도 장사진을 이루고 있었다. 소련 여성들은 사회주의 국가에서 수입된 향수—불가리아에서 생산된 '검은 고양이', 폴란드에서 생산된 파란색 병에 담긴 '파니 발레프스카', 동독에서 생산된 '플로레나'—를 선호했다. 심지어 근동에서, 예를 들면 이집트에서 '빠삐용'과 '클레오파트라'와 같은 향수가 수입됐다.

서유럽 관광객들에게 조심스럽게 문을 열고 외환 상거래가 시작되면서 고전적인 서유럽 향수들이 갈수록 더 많이 소련 시장에 상륙했다. 청바지와 다른 서방의 액세서리처럼 향수는 외국인 호텔 주변에서 그리고 외교관들과 소련 시민들이 외화를 주고 서유럽 제품을 구입할 수 있었던 특별 상점에서 잘 팔리는 물품이었다.

1960년대 초에 모스크바에 프랑스 향수가 등장했다. 모스크바 중심에 있는 모스크바 호텔의 '황금 장미' 부티크에서 로샤스의 향수 '팜므'와 이브 생-로랑의 아편을 구입할 수 있었다. 샤넬 22는 그 가격이 50루블로 엄청나게 비쌌지만 순식간에 다 팔렸다. 영화 제작자 안드레이 콘찰롭스키는 넓은 세계의 향수를 향한 자신이 속한 세대의 갈망에 대해 이렇게 쓴다.

09 Dolgopolova: Parfjumerija v SSSR, Ⅱ, 169쪽.

"나는 당시 파리에 대한 꿈을 꾸었다. 파리는 샤넬과 값비싼 담배 향기를 풍기는 꿈의 도시, 에펠탑의 도시였다."[10] 1970년대에 서유럽 회사들과의 제휴가 시작됐고 페레스트로이카 시대에는 합작 투자가 이루어졌다. '파리-모스크바'라는 라벨이 붙은 물건이 더 쉽게 팔렸다. 옛 소비에트 러시아 국가수반이었던 미하일 칼리닌에 따라 이름을 붙였던 크리스탈 연마 공장은 크리스탈 연마 공장 미하일 칼리닌 모스크바-파리로 이름을 바꾸었다.[11]

1954년에 약간 변형됐지만, 전후 수십 년 동안 인기를 유지했던 향수는 크라스나야 모스크바(레드 모스크바)였다. 그리고 전쟁 이전의 향수를 잘 아는 사람들은 새로운 향수가 이름만 같다는 사실을 확인했다. 그 이후 1970년대에 노동자 월평균 임금의 10분의 1에 해당하는 12루블로 비교적 비싼 브랜드에 속했던 향수의 몇 세대가 있었다. 크라스나야 모스크바의 높은 지위는 특히 1958년 브뤼셀에서 개최된 세계박람회에서 소련 향수가 수상함으로써 확인됐다. 브뤼셀 세계박람회에서 크라스나야 모스크바와 오그니 모스크비와 같은 향수는 금메달을 수상했고, 리가에서 생산된 호박(琥珀) 향수와 레닌그라드에서 생산된 북극광 향수는 동메달을 수상했다.[12]

---

10 Dolgopolova: Parfjumerija v SSSR, II, 113쪽; Eleonory Gilburd: To See Paris and Die. The Soviet Lives of Western Culture, Cambridge/Mass. 2018에서 인용했다.

11 Dolgopolova: Parfjumerija v SSSR, II, 14쪽.

12 Dolgopolova: Parfjumerija v SSSR, II, 6쪽, 25쪽.

또다시 향수의 세계가 재회했던 곳은 국제 경진 무대인 세계 박람회였다. 분열된 세계에서 수십 년을 살고 난 후에 브로카르의 후손들이 소련에서 브로카르를 계승했던 노바야 자랴의 후손들과 만난 곳은 1958년 브뤼셀이었다. 해빙기와 데탕트가 그것을 가능하게 했다. 그리고 그 이상의 것이 있었다. 소련 외무성에서 기록을 담당한 G. A. 나우멘코는 1968년에 리츠 호텔 스위트룸에 머물던 코코 샤넬을 방문해서 소련 향수 컬렉션—흰 라일락과 돌꽃—을 선물했다. 그는 샤넬이 정말 감격했다고 말했다. 롤랑 바르트는 코코 샤넬이 '미학적 혁신'이 필요한 사회를 방문하기 위해서 모스크바로 여행을 떠날 의도를 가졌다고 보고한다. 하지만 이 계획은 실행에 옮겨지지 않았다. 그리고 샤를드골 대통령이 좋아하는 소련 향수는 붉은 양귀비로, 중국 혁명을 암시하는 노랗고 빨간 상자 안에 들어 있는 동양풍의 향수인데, 10월 혁명 10주년을 기념하기 위해 프랑스 조향사인 오귀스트 미셸이 제작했던 것이 분명하다.[13]

그럼에도 선물받은 향수에 대한 샤넬의 기쁨과 드골의 붉은 양귀비에 대한 사랑은 서유럽과 소련의 향기 세계의 관계가 비대칭적으로 유지되고, 레드 모스크바가 소련 향수의 세계에서 반박할 수 없는 헤게모니를 장악했던 시간이 끝나가는 것에 아무런 변화를 주지 못했다. 서유럽의 향수가 잠식해 들어왔다. 레

---

13 소련의 '아편'에 상당한 붉은 양귀비의 제조자와 기원에 대해서는 논쟁이 뜨겁다. Roland Barthes: The match between Chanel and Courrèges. 1967년 9월, 철학자 마리 끌레르가 언급했고, Jean-Louis Froment: No. 5 Culture Chanel, Ausstellung im Palais de Tokyo, New York 2013, 43-44쪽에 인쇄됐다.

드 모스크바보다 다른 향수들이 인기가 더 있었다. 늦게나마 몇 안되는 소련의 유명한 가수나 디자이너가 자신의 이름을 내세운 향수 브랜드를 내놓았다. 여가수 알라 푸가초바는 알라 향수를 시장에 내놓았고, 패션 디자이너인 뱌체슬라프 자이체프는 빈티지 스타일의 병에 담은 '마루시아'를 출시했다. 1970년대 말에 이미 소녀들과 여성들은 더 이상 레드 모스크바와 붉은 양귀비를 구하려고 노력하지 않았고 또 다른, 조금 더 상쾌하고 '조금 더 자연에 가까운' 향수에 관심을 기울였다. 수십 년 동안 그 향기로 특별한 행사—환영 연회, 연주회, 미술 전시회 개막식—에 축제일같이 조명이 된 방을 채웠던 크라스나야 모스크바는 갈수록 더 '늙은 아줌마'의 향수로, '할머니-향수'로 심지어 젊은 세대가 더 이상 연결되기를 원치 않았던 소련 쁘띠 부르주아의 시그니처 향수로 여겨졌다.[14]

가끔 오래전에 해결됐다고 믿었던 상황에 갑자기 기습당하고 발목 잡히는 일이 발생할 수 있다. 소련이 붕괴하고 30년 후 소비에트 세계의 잿빛이 씻겨 내려간 것처럼 오래전에 잊혀졌고, 소련 시절에 10월의 거리로 불린, 루비안카 광장과 붉은 광장을 연결하는 니콜스카야 거리에 있는 '굼' 백화점에서 멀리 떨어져 있지 않은 장소에서 모스크바가 사치와 패션의 아케이드로 변신했던 바로 그 시점에 그런 일이 발생할 수 있다. 혁명 이전의 시기처럼 니콜스카야 거리는 지금 국제적인 패션 브랜드 지

---

14 Dolgopolova: Parfjumerija v SSSR, II, 104쪽.

점들이 나란히 늘어서 있는 화려한 쇼핑 거리이다.

몇 년 전부터 니콜스카야 거리 23/1-2에 있는 집의 전면은 '억만장자'라는 라벨이 붙은 남성복을 선전하는 거대한 방수포로 뒤덮였다. 2019년 가을에는 밀라노, 파리와 런던을 갔다 온 적이 있는 새로운 모스크바 엘리트에게 그들이 찾고 있는 것들, 즉 패션, 값비싼 액세서리, 서점, 포도주 저장실, 레스토랑 그리고 향수 부티크를 제공하는 '비즈니스 센터'의 눈앞의 개장이 예고됐다. 그 비즈니스 센터는 과거가 있는 집이다.

전기를 이용하는 이 건물의 전면은 19세기 '창업 시대'에 만들어진 것이다. 1935년과 1940년대 말 사이에 소련 최고 재판소 군사 협의회가 입주했고, 이 건물은 스탈린의 대공포 시대를 상징하는 중요한 장소였다. 하필이면 이런 장소에 건물의 소유주인 블라디미르 다비디가 자신의 '에스테르크 룩스' 향수 가게를 열고 싶어 했다. 다비디는 프루스트의 마들렌 구절을 알고 있으며 모차르트와 모네 없는 삶을 상상할 수 없을만큼 예술을 사랑했다.

1950년대 이후 그 건물은 모스크바 관구사령부의 본부였고, 소련이 해체된 이후에는 잠시 비었다가, 여러 번 소유주가 바뀌었다. 유리 루시코프가 모스크바 시장으로 있는 동안 이 역사적 건물은 지하 주차장과 사무실을 위한 공간을 만들기 위해서 대규모로 철거됐고 건물의 전면만 남게 됐다. 하지만 저항이 있었다. 왜냐하면 니콜스카야 거리 23번지는 여느 건물과는 다른 건물이었기 때문이다. 1937년 이 건물에서 수만 명이 사형선고를 받았다. 이 건물은 지하 터널을 통해서 루비안카 광장에 있는 '내무인민위원회'의 다른 건물들과 연결됐다. 1층의 창구에는 체포된 사람들의 친척들이 그들에게 일어났던 일을 알기 위해서 장사진을 이루었다. 2층에는 소련 최고 재판소 군사 협의회 의장이며 많은 모스크바의 여론 조작용 재판을 관장한 판사 바실리 울리히의 사무실이 있었다. 삼층에는 재판정이 있었는데, 그곳에서 1936년 10월과 1938년 11월 말 사이에 31,456명이 사형선고를 받았고—그 가운데 모스크바 시에서만 7,408명이 사형선고를 받았다—6,857명이 징역형과 수용소형을 선고받았다. 심리는 보통 채 20분도 걸리지 않았다. 소련 인민위원회 위원 25명, 연방공화국 인민위원회 위원 19명, 군사령관 수천 명, 지식인과 기업 연합체 책임자가 유죄판결을 받고 처형됐다. 유죄판결을 받고 처형된 사람들 중에는 붉은 군대의 장군인 미하일 투하쳅스키와 알렉산드르 예고로프, '볼셰비키 민병대'의 대원들, 발레리나 마이야 플리세츠카야의 부모, 영화감독 프세볼로트 메이예르홀트 그리고 작가 이사크 바벨과 보리스 필냐크 등이 있었다. 그들 가운데 다수는 총살을 당하거나 돈스코예 공동묘지의 화장장에서 불에 태워지기 전에 끔찍한 고문을 당했다.

하필이면 이 건물에 이제 향수 부티크가 개장할 예정이었다. 이 건물이 해체되지 않은 것과 이 극악무도한 범죄 현장을 애도와 추모의 장소로 완전히 바꿔 놓기 위한 투쟁이 계속된 것은 오로지 전몰장병 추모 사업회 덕분이다. 2019년 10월에 비로소 수만 명의 사람이 현장에 정치적 탄압을 기억하기 위한 박물관 건립을 촉구하는 「노바야 가제타」 신문[15]이 낸 탄원서에 서명했다. 아버지가 1937년에 이 건물에서 총살당했던, 여든 살이 넘은 나이의 알렉세이 네스테렌코는 니콜스카야에 있는 이 건물 앞에서 여러 해 시위를 벌였다. 활동가들은 아직도 남아 있는 흔적들을 가리킨다. 연철 계단과 난간, 울리히의 사무실에 있는 떡갈나무 바닥재, 부엌과 포도주 저장실이 설치될 예정인 지하실에서 2007년에 발견된 탄약 상자 등이 그 흔적들이다. 총살당한 사람들의 이름을 밤에 건물의 정면에 투사하자는 제안이 있었다. 심지어 살해의 장소를 소비의 신전으로 변경시키는 것에 항의하기 위해서 향수에 '경부(頸部) 사격'이라는 이름을 붙이자는 제안도 있었다. 사실 샤넬 향수의 숫자와 니콜스카야 거리의 건물 번지수를 이용해서 하나의 향수가 합성됐다. 합성물 23은 사형선고에 서명하기 위해서 사용됐던 낡은 종이와 잉크의 냄새로 시작된다. 계속 습한 지하실의 냄새가 이야기되고 곧 뒤이어 주성분이 이야기된다. 즉 화약의 자극적인 냄새가 이야기된다. 이 화약 냄새는 차츰 쓴 뒷맛을 남기는 재의 냄새로 대체된다.[16]

---

15 러시아 신문으로 러시아 정부에 대해 비판적이며, 체첸 분쟁 및 푸틴 정권의 비리 등을 폭로했다. 모스크바에 본사를 두고 있다. (옮긴이 주)

16 알렉세이 폴리코프스키의 논문 Parfjum 'Pulja v zatylok', in: Novaja gazeta, 2019년 10월 30일, https://www.novajagazeta.ru/articles/2019/10/30/82556-parfyum-pulya-v-zatylok(2019년 11월 6일); Konstantin Michajlov: Rasstrel'nyj butik na Nikol'skoj, in: Kommersant, 2019년 11월 6일. https://www.kommersant.ru/doc/3656607, 2019년 11월 6일; Peticija 'Novoj' protiv otkrytija butika v Rasstrel'nom Dome podpisali 30 tysjač čelovek, in: Novaja gazeta, 2019년 11월 4일; Jurij Birjukov: Istorija 'rasstrel' nogo doma' na Nikol'skoj. https://archnadzor-ru. livejournal.com/259762. html, 2019년 11월 6일에서 따와 엮은 정보.

추가 기록:
독일 영화의 위대한 여성 올가 체코바,

화장품과 영원한 청춘에 대한 꿈

올가 체코바[01]는 살아 있을 때 이미 '독일 영화의 위대한 여성'으로 불렸다. 83세로 1980년 뮌헨에서 사망했을 때, 그녀는 화려한 경력을 남겼는데 약 140편의 영화에서 주로 주연으로, 때로는 감독으로도 활약했다. 필모그래피는 그녀가 종종 한 해 동안 다수의 작품 생산에 관여했다는 사실을 드러내 보인다. 그녀는 유명한 배우들을 파트너로 함께하고 있었고 유명한 감독들(막스

---

01 올가 체코바는 러시아에서 독일어를 사용하는 가정에서 태어났다. 그녀는 1930년 독일 국적을 취득했다. 체코바는 독일 영화의 위대한 여성이 되었다. 나치 시대에도 마찬가지였다. 그녀는 약 140편의 독일 영화에 출연했으며, 그 가운데는 특히 멜로드라마가 많았다. 함께 일한 감독은 1933년까지 막스 오퓔스, 빌리 포르스트, 카를 프뢸리히, 해리 피엘, 에리히 바슈네크와 볼프강 리베나이너였다. 그녀는 히틀러와 나치의 거물들과의 관계를 숨기지 않았다. 그녀는 자주 히틀러의 식사에 동석하는 여성이었다. 종전의 해인 1945년 4월에 그녀는 모스크바로 가서 두 달간 음모의 집에 묵었다. 그곳에 머무는 동안 내내 경찰들이 그녀의 주변에 있었고 크렘린에서 비밀 정보기관 수장인 베리아와 대화를 하게 했다. 그런 다음 그녀는 다시 독일로 돌아갈 수 있었다. 이러한 거래에서 그녀가 첩보망의 일원이 아닌가 하는 추측이 생겼다. 제2차 세계대전이 끝난 후 그녀는 자신의 극장과 영화 회사를 설립했지만 큰 성공을 거두지는 못했다. 1937년부터 체코바는 미용사 자격증으로 미용실을 운영했고 1958년에는 뮌헨과 베를린, 밀라노에 지점을 둔 성공적인 화장품 회사인 '올가-체코바-화장품'을 설립했다. (옮긴이 주)

오퓔스, 카를 프뢸리히, 볼프강 리베나이너)과 작업했다. 그녀의 영화들은 러시아(「불타는 국경」, 「이중간첩 아세브」) 문학작품(「노라」, 「차변과 대변」, 「페르 귄트」, 「벨 아미」), 프로이센(「상수시의 방앗간」, 「로이텐 전투의 찬가」, 「트렌크」, 「안드레아스 슐뤼터」) 등을 포함한 믿을 수 없을 정도로 폭넓은 주제의 레퍼토리를 포함한다. 하지만 대부분은 코미디, 러브 스토리와 멜로드라마(「주유소의 세 친구」, 「예술가들의 사랑」, 「빈의 가장 무도회」, 「스테반 탑 근처에서의 왈츠」와 다른 많은 작품들)였다. 그녀의 첫 영화는 1921년에 프리드리히 무르나우와 함께 작업한 것이었고, 그녀는 무성영화의 시대에서 유성영화로 성공적으로 도약한 몇 사람 가운데 한 사람이었다. 그녀는 러시아에서 연기를 시작했지만, 바이마르 시기에 우파(UFA)[02] 영화사 소속 스타들 가운데 깊은 인상을 남긴 인물들 중 한 인물이 되었고, 전후에는 놀랍게도 연속적으로 낡고 새로운 주제들, 역할들 그리고 다른 감독들(「마지못해 마하라자[03]」, 「결혼의 비밀」, 「모든 것을 아빠를 위해」)과 함께 영화인으로서의 경력을 이어 갔다. 한 세대 동안 그녀는 우아하지만 유능하고 명랑한 여성의 상징이었다. 그녀와 함께 일했던 많은 동료 배우들과 감독들이 1933년 이후에 독일을 떠나 추방되어야 했는데, 그녀는 독일에 남아 있었을 뿐 아니라 나치의 중요 인물들이 밖으로 범세계주의자적이며 시민으로서 품위에 어울리게 보이길 원

---

02 우파에 대해서는 Klaus Kreimeier: Die Ufa-Story. Geschichte eines Filmkonzerns, München 1992를 참조하시오.

03 인도의 군주를 가리키는 칭호. (옮긴이 주)

할 때, 환영 연회에서 그들을 둘러싸곤 했던 사교계의 일원이었다. 나치의 중요 인물은 요제프 괴벨스, 요아힘 폰 리벤트로프였는데 그녀가 가장 열렬하게 숭배하는 인물은 히틀러였다. 그녀는 여름 파티에서 미모를 한껏 뽐내면서 히틀러 옆에 앉아 함께 사진을 찍었다.

이러한 경력은 '체호프 가문' (레나타 헬커) 출신 여성으로서는 아주 놀라운 것이었다. 안톤 체호프의 아내이자 모스크바 예술극장의 전설적인 여배우인 올가 크니퍼-체코바가 그녀의 숙모였고, 이민을 떠난 후 할리우드에서 성공했던 배우 미하일 체코바가 그녀의 남편이었다. 그녀의 딸 올가와 손녀 베라는 서독에서 이 유명한 예술가 가문과 영화 가문의 전통을 계승했다.[04] 그녀의 인생사는 20세기의 혼란을 상징한다. 즉 모스크바의 독일-러시아 가문이라는 출신 배경, 러시아 내전으로부터 탈출, 바이마르 문화의 매력, 영화의 환상적 세계와 나치의 만행 그리고 전후 서독에서 전혀 새롭지 않았던 새로운 시작의 운명적인 병치와 상호작용을 상징한다. 이러한 인생행로가 시대의 흐름에 얼마나 깊숙이 연루되었는지는 소비에트 첩보 기관을 위한 실제의 혹은 미심쩍은 활동에 대한 보고서에 의해 초래된 토론에서 분명히 드러났다. 알다시피 올가 체코바는 붉은 군대가 진입한 이후 4월 말에 베를린의 가토브 구역에 있는 자신의 집에서

---

04 체호프 가문의 역사에 대해서는 Renate Helker: Die Tschechows, Wege in die Moderne, Hg. vom Deutschen Theatermuseum München 2005. 여기에는 '체호프 가문'의 가계도가 수록되어 있다.

체포당해 비행기로 모스크바에 압송됐다. 모스크바에서 그녀는 석 달 동안 첩보 기관인 '스메르시'와 '내무인민위원회' 관리들에게 심문을 받고 나서 8월에 베를린으로 돌아왔다. 공개된 자료에서 확인할 수 있는 것은 그녀가 첩보 기관을 위해 일했던 남동생인 레브 크니퍼에 의해 정보원으로서 철저하게 이용당했다는 사실이다.[05]

올가 체코바의 삶은 제국의 향기 역사와 관련이 있지만, 배우로서의 업적 때문도 '제3제국' 지도층과의 관계의 친밀함 혹은 소비에트 정보 요원들과의 연결에 대한 억측 때문도 아니다. 올가 체코바는 '세 개의 인생'—러시아에서, 전쟁 이전의 독일과 나치 독일에서, 서독에서—을 살았을 뿐 아니라, 두 개의 경력과 두 개의 직업을 가졌다. 그녀는 훈련을 받은, 자격증이 있는 미용사였다. 그녀가 기억을 더듬어 쓴 것처럼, 영화인으로서의 경력 마지막에 제2의 인생을 시작했다. "나는 가토브에 있는 집을 팔고 베를린에서 뮌헨으로 간다. 바이에른주의 주도의 한복판에서 나는 내 최초의 화장품 상점을 연다."[06] 그녀는 의도적으로 영화계 스타로서 자신의 명성에 의지해서 1955년 '올가-체코바-화장품 합명회사'를 설립했다. 이 회사에는 처음에 직원이 7명이었지만,

---

05 체코바의 연루에 대해서는 잘 연구되고 신중한 책, Anthony Beevor: Die Akte Olga Tschechowa. Das Geheimnis von Hitlers Lieblingsschauspielerin, München 2004. 그리고 Maja Turovskaja: Kazus Ol'gi Čechova, in: Snob 2014(dekabr'-2015, fevral'); Mark Kušnirov: Ol'ga Čechova, Moskva 2015; Nikolaj Dolgopolov: Neizvestnaja rol' Ol'gi Čechovoj, in: Rodina No 6 (616, https://.rg.ru/2016/06/09/rodina-chechova.html (2019. 8. 1).을 참조하시오.

06 Olga Tschechowa: Meine Uhren gehen anders, München/Berlin 1973, 253쪽.

나중에는 100명에 이르렀다. 그녀는 실험실을 설치했고 화학자들을 고용했으며 자신의 배합 공식을 발전시켰다. 그녀는 전력을 다해서 이 일을 해냈는데 자금을 마련하기 위해서 장신구를 팔았고 골동품을 저당잡혔다.

무엇보다도 그녀는 프로답게 일했다. "이미 수십 년 전부터 국내와 해외에서 화장품에 대한 지식을 획득했고 계속해서 보충했다. 브뤼셀과 파리에 있는 '미용 대학'에서 자격증을 땄으며, 베를린과 뮌헨에 있는 대학에서 강연에 참석했고, 런던에 사는 유명한 러시아 생물학자인 보고몰레츠 교수와 깊이 있는 대화를 나누고 상담했다. 게다가 보고몰레츠 교수는 나 자신의 배합 공식을 만들라고 격려했다. 나는 이 대화와 상담에서 신체와 세포의 재생을 촉진하는 것이 가능하지만, 다양한 유기질의 응용만으로는 불가능하다는 사실을 깨달았다. 환자는 어떤 상황에서도 지속적으로 그리고 적극적으로 협력해야 한다. 예를 들면, 대체로 치명적인 독이 없는 다이어트에."[07] 체코바가 자신의 향수를 생산했다는 사실은 그녀가 만들었던 향수들의 목록에서 드러난다. 향수들의 이름은 다음과 같다. 아농세, 샤피트르, 마담, 마드무아젤, 메르시에 체코바, 낭시, 테오렘, 베스나, 두쉔카와 그린 시즌 등이다. 이 모든 것은 뮌헨에 있는 화장품 회사에서 생산됐다.[08]

보다 더 중요한 것은 '늙지 않는 여성'으로서, 미용과 화장품 문제의 상담자로서, 강연자이며 조언자로서 그녀의 명성—그리고 그녀의 명성을 마케팅하는 것—이었다. 전쟁 이후 그리고 경제 기적을 이룬 몇 년 동안 그녀가 썼거나 공동 편집했던 책의 제목들은 『아름다움에 대한 수다』와 『늙지 않는 여성: 아름다움과 패션 안내서』이다. 이 책은 화장품 산업에서 일하는 사람들을 위한 안내서라 할 수 있다. 그 이유는 의사, 생물학자, 화학자들이 함께 쓴 '화장품학적' 근거가 있는 책이기 때문이다.[09] 이 책에서는 때로는 수다의 어조로, 때로는 백과사전처럼 완벽하게 미용의 중요한 문제들이 심도있게 논된다. 그 문제들은 의학적 기

---

07 Tschechowa: Meine Uhren gehen anders, München/Berlin 1973, 253쪽. 쿠쉬니로브가 보고몰레츠 교수와의 만남이 런던에서가 아니라 파리에서 있었을 가능성이 더 높다고 지적한 것은 옳다.

08 올가 체코바가 생산한 향수는 https://www.parfum.de/s_ext.php?new=1&q=tschechowa (2019.8.3.)에서 찾을 수 있다.

09 Olga Tschechowa: Plauderei über die Schönheit!, Berlin 1949.

초, 주름 형성을 막는 처방, 호르몬과 피지선(皮脂腺)의 기능성, 숙면과 올바른 다이어트를 위한 정보, 미안술 정보, '향수의 메카'에 대한 정보 등이다. 그녀의 견해에 따르면 중요한 향수들은 일종의 향수학에서 인용된다. 그 향수들은 샤넬 넘버 파이브, 르롱, 랑방, 스키아파렐리, 디오르, 파투 등으로 한 시대를 풍미했던 이름들이다.[10]

그녀의 중요한 메시지는 기술적인 혹은 위생적인 메시지가 아니라, 사람들이 젊음을 유지하고 싶다면 발전시켜야만 하는 태도와 관계있는 메시지이다. 체코바는 자신이 '젊음과 신선미를 항상 유지하는 비밀을 털어놓아 달라'는 요구를 늘 받고 있다고 쓴다. 그녀 자신은 기적의 치료제를 믿지 않고, 자기 훈련, 어떤 라이프 스타일의 중요성, "기쁨, 근심, 곤경 그리고 절망이 모두 뒤섞여 있는 삶의 우여곡절에 대한 긍정적 태도, 동료 인간에 대한 입장과 태도, 친구 선택, 친구와 낯선 사람을 대하는 방법, 가정의 청결, 가족에 대한 입장, 동물들, 심지어 모든 생명체에 대한 태도, 간단히 말해서 기쁨과 고난이 있는 하루 일과에서 자신의 역량을 입증해 보이는 것"을 믿는다고 말한다. 이것은 안내서의 격언들로 귀결된다. "모든 것을 있는 그대로 받아들여라", "자신을 너무 심각하게 생각하지 마라", "여기 이 세상에서 너의 낙원을 건설하려 노력하라. (그렇지 않으면 낙원이 없을지도

---

10 Olga Tschechowa und Günter René Evers: Frau ohne Alter. Schönheits- und Modebrevier, München 1952, 337, 339쪽.

모른다!) 아름다움을 사랑하는 사람으로 그 낙원에서 살아라. "[11]

체코바의 아름답고 성공한 삶의 철학이 단지 관용적 표현법 이상이라는 것을 입증하는 많은 증거가 있다. 회고록에서 그녀는 파리의 '미용 대학'에서 받았던 자격증과 '보고몰레츠 박사'와의 대화를 언급했다. 그녀가 다녔던 '미용 대학'은 1890년에 설립됐고, 그 이후 '미용을 위해 헌신하는' '미용 과학 아카데미'로 추정된다. 이 아카데미는 파리 생 오노레 거리 376번지에 있는 전문적인 미장원의 원형이었는데 '여성의 미용 욕구를 위한 안내서'를 발행했고, 최초의 화장품 학교를 열었으며 과학에 기반한 화장품 안내서를 출판했다. 뿐만아니라 1931년 파리에서 개최된 국제 향수 박람회에서 금메달을 수상했고 1936년 최초의 화장품 특허권을 받았다. 아카데미 설립 125주년인 2015년에 아카데미의 홈페이지에는 아카데미의 역사가 이렇게 기록되어 있다. "한 세기 이상 미용 과학 아카데미는 그 전문 지식을 미용을 위해 사용해 왔다. (…) 1890년 출시된, 유명한 '크림의 공주'에서 깊은 인상을 준 '포르밀 메르베외즈(불가사의한 화학식)'에 이르기까지 회사는 전 세계를 계속 놀라게 했다. "[12]

체코바의 회고록에서 언급된 '보고몰레츠 박사'는 누구인가? 그는 알렉산드르 알렉산드로비치 보고몰레츠(1881~1946)인데, 우크라이나의 체제 전복적인 성향을 지닌 지식층 가정에서 태

---

11 Tschechowa: Plauderei über die Schönheit!, 43쪽 이하, 46쪽.

12 미용 과학 아카데미 홈페이지는 http://www.academie-beaute.de/de/the-brand/history.html (2019.3.9).

알렉산드르
알렉산드르로비치
보고몰레츠(1881~1946)

어난 의사로 병리생리학, 면역학, 노인학 분야에서 선구적인 책을 출판했고, 우크라이나 과학 아카데미 설립을 추진했으며, 수없이 많은 상을 받은 과학자였다. 그가 받은 상은 1941년에 스탈린상, 1944년에 사회주의 노동 영웅, 2개의 레닌 훈장, 조국 전쟁 훈장과 노동적기훈장 등이다.[13] 1937년에 그는 소련 최고평의회 의원으로 선출됐고 소련 과학의 가장 유명한 대표로 세계박람회에 참석하기 위해 파리로 떠났다. 파리에서 올가 크니퍼-체코바도 모스크바 예술 극장과 함께 공연했다.

보고몰레츠는 인상 깊은 경력을 남겼다. 그는 젊은 나이에 교

---

13 A. A. Bogomolec: Prodlenie žizni, Kiev 1940; eine Würdigung der wissenschaftlichen Le istung von A. Bogomoletz in: Jurij Vilenskij: Naučnoe nasledie akademika A. A. Bogom ol'ca (k 130-letiju so dnja roždenija), in: Fiziologičeskij žurnal 2011, t. 57, No3, 88-95 쪽; Aleksandr A. Bogomolec: https://ru.wikipedia.org/wiki/Богомолец_Александр_ Александрович (2019. 8. 12.).

수가 됐고 생리학자이며 노벨상 수상자인 이반 파블로프로부터 칭찬을 받았다. 그는 제1차 세계대전 이전에 소르본 대학을 방문했고 여성의 인권을 적극적으로 지지했다. 무엇보다 러시아 내전 기간에 사라토프에 자기 돈으로 유행병학 실험실을 만들어, 제2차 세계대전 동안 부상병들을 치료하는 데 중요한 역할을 하게 될 면역 혈청(보고몰레츠 혈청)을 개발한다. 뿐만아니라 수혈과 혈액 보존을 위한 방법들을 발전시켰고, 『생리학 저널』을 창간했으며, 키이우에 우크라이나 과학아카데미를 설립하고 1930년에 원장으로 취임했다.

노인학 기관의 창립과 보고몰레츠가 1939년에 출판한 『생명의 연장』이라는 책은 그의 주요한 과학적 관심들 가운데 하나를 가리킨다. 그것은 너무 이른 노화에 맞선 투쟁이다. 그는 인간의 수명이 장래에 150살까지 연장될 수 있다고 확신했다. '레닌의 라이벌'인 알렉산드르 보그다노프에 의해 설립된, 보고몰레츠도

알렉산드르 알렉산드로비치
보고몰레츠의 책
『생명의 연장』의 판(版)

일했던 수혈 기관은 질병과 심지어 죽음도 극복될 수 있다는 생각이 1920년대 소련의 각성 기간에 상당히 퍼져 있었다는 사실을 알려준다.[14] 트로츠키와 생명우주론의 중요한 대표자들의 진술들이 이러한 사실을 입증한다. 알렉산드르 보고몰레츠를 몰두하게 했던, 그리고 독재로 수백만 명의 목숨을 앗아간 스탈린도 흥미를 가졌던 생명을 연장하는 방법을 탐색하는 것은 어렵지 않게 올가 체코바의 꿈 즉 '늙지 않는 여성'에 대한 꿈, 경계를 넘는 꿈과 일치했다.

---

14 Michael Hagemeister: "Unser Körper muss unser Werk sein." Boris Groys und Michael Hagemeister(Hg.v.), Frankfurt/Main 2005, 19-67쪽에 나오는 20세기 초 러시아 프로젝트에 들어 있는 자연의 지배와 죽음의 극복. 새로운 인류, 20세기 초 러시아에서의 생명정치적 유토피아.

하나의 세계가
냄새를 맡는 방법

많은 사람들에게 소련의 해체는 2005년에 푸틴 대통령이 주장했듯이 '20세기의 가장 큰 지정학적 재난'이 아니라, 오히려 소련 화장품 산업과 향수 산업에서의 재난처럼 일련의 수많은 작은, 때로는 운 좋은 재난들 가운데 하나였다. 향수 생산의 영향력 있는 중심이 갑자기 해외로, 다른 나라들로 옮겨졌다. 리가의 진타르스[01], 키이우의 알리에 파루사, 트빌리시[02]의 이베리아와 다른 향수들이 신생 독립 공화국들에서 다시 발견됐다. 신생 독립 공화국들이 크림반도와 중앙아시아의 농장에서 방향유를 공급받는 것이 중단됐고, 판매 네트워크는 정지됐다. 특히 국내 브랜드의 명성은—여러 세대에 걸쳐 확립됐던 브랜드마저—사라졌고, 러시아 시장으로 몰려오는 외국 브랜드들의 압력을 이겨

---

01 진타르스는 라트비아 대표 화장품 브랜드로 인근 국가에 수출될 정도로 유명하다. 파운데이션, 수분 크림, 영양 크림, 색조 화장품, 립스틱 등은 품질도 좋고 가격도 아주 저렴하다. 물론 특별한 용도로 고급스럽게 제작된 고가 제품들도 있다. (옮긴이 주)

02 조지아의 수도. (옮긴이 주)

넬 수 없었다.[03] 세계적 회사의 로고들이 러시아 대도시들의 중심에 등장했다. 즉 로샤스, 겔랑, 디오르, 카르티에, 구찌와 다른 모든 로고들이 등장했다. 주력 상점이 이제 뉴욕, 도쿄, 홍콩 혹은 상하이에서만 문을 연 것이 아니라, 모스크바의 트베르스카야 거리와 '럭셔리 시티'에서도 문을 열었다. 노바야 자랴(새로운 새벽)와 세베르노예 시야니예(북극광) 등과 같은 중요한 국내 화장품 회사들과 향수 회사들은 인수되어 외국 경영진에 의해 운영됐고 잠시 혹은 영원히 영업을 중단한 상태였다.

고도로 전문화된 코는 다른 것을 감지할 수 있었다. 사라진 것은 향수 회사들의 이름뿐 아니라, 소련 향수의 특별한 향기였다. 세계의 새로운 지역에서 온 새로운 원액은 다른 특징과 다른 향기를 지닌 다른 향수들을 만들어 냈다. 소련과 러시아의 화장품에 관심이 있는 감정가들은 이 새로운 향수들이 유혹적이기는 하지만 과연 '자신들의' 즉 조국 러시아의 향수로 간주될 수 있을지는 회의적이었다. 그들은 예전에 엄격한 검사 기준에 의해서 보장받았던 품질이 떨어진 것에 대해 한탄했고, 나라 전체에 넘쳐났던 대량의 짝퉁 향수에 대해 불평했다. 소련의 사회주의 배급 체계가 붕괴한 이후 수십만 명의 이른바 쇼핑 관광객은 조국에 생활필수품을 공급하고 직접 부가가치를 얻기 위해서, 위기의 시기에 자신들의 가족을 돕기 위해서 러시아로 떠났다. '베틀의 북'이라고 불리는 이 수십만 명의 쇼핑 관광객과 보따리 상인

---

03 '변화된 모스크바'에 대해서는 Schlögel: Moskau lesen, 347-467쪽을 참조하시오.

은 국내에서 그리고 국내와 바깥 세계와의 거래 관계를 유지하기 위해서 여러 주 동안, 여러 달 동안 계속해서 오고 갔다. 수십만 명의 사람이 상품의 유통을 지속시키기 위해서 모스크바와 두바이, 오데사 그리고 이스탄불, 레닌그라드/상트페테르부르크와 헬싱키, 스베르들로프스카야/예카테린부르크와 톈진 사이를 진자처럼 오고 갔다. 상품이 유통되지 않았으면 러시아의 공급 체계는 아마 붕괴했을 것이다. 그들은 생활필수품과 온갖 종류의 소비 물자를 취급했다.

1990년대에 모스크바 올림픽 경기장 외곽과 레닌그라드 지하철 종착역의 시장 거리 혹은 우크라이나 남동쪽에 있는 가장 큰 시장, 오데사 근처의 '일곱 번째 킬로미터' 야외 시장을 돌아다닌 사람은 누구나 하룻밤 사이에 생겨난 거대한 시장들, 많은 것을 갖춘 제대로 된 여행자 쉼터들을 발견할 것이다. 그 모든 것은 국토를 횡단하는 버스 정류장, 경찰서, 레스토랑, 야간 쉼터, 무역의 초기 상황—중동 지역의 시장 '수크', 중세의 재래시장, 바글거리는 장터, 아케이드의 세계—을 기억나게 하는데 여러 층으로 쌓아 올린 텐트와 컨테이너로 만든 진정한 도시처럼 보인다. 암시장은 이 상황을 실제로 묘사하지 못한다. 그 이유는 모든 일이 많은 사람이 보는 앞에서, 도시 주변의 수 제곱킬로미터에 걸친 넓게 트인 지역에서 발생했기 때문이다. 오랫동안 이 비공식이지만 실제의 경제가 공식적인 허구의 경제를 장악했다. 그곳에는 없는 것이 없었다. 리복, 아디다스, 터키 가죽 제품, 이탈리아 패션 상표, 한국 오락 전자제품, 독일 사과 주스, 콘돔, 웨

딩드레스, 욕실용품 이외에 끝없이 긴 목록, 페이스를 유지하지 못했던 사회의 욕구의 진정한 표현이 있다. 물론 이스탄불, 나폴리, 알렉산드리아, 우루무치에서 구입한 세계의 모든 상표, 모든 가격대의 향수들이 있었다. 이 향수들은 러시아 제국의 가장 먼 구석까지 되팔렸다. 아르마니에서 카르티에, 샤넬, 엘리자베스 아덴을 거쳐 에르메네질도 제냐까지 모든 브랜드를 구할 수 있었다. 물론 모두 짝퉁이었다. 그 당시 중요한 것은 상품의 진위가 아니라, 그 옷을 입은 사람에게 성공의 신분을 부여했던 이름과 상표였다. 동유럽 블록의 새로 떠오르는 시장은 사실 분열된, 묵시적인 암시장이었다. 매장과 화려한 부티크 때문에 눈에 뜨이는 명품 소비 구역과 다른 한편으로는 보통 사람들이 구입할 수 있는 짝퉁 브랜드가 넘치는 시장이 공존했다.[04]

국제 화장품 기업과 향수 기업이 과거 동유럽 블록의 새로운 시장으로 파고들었을 때의 탄력과 소련 해체 이후 대도시들의 가장 유리한 입지에 자리 잡았을 때의 속도는 소련 브랜드의 약점에 대해서뿐 아니라, 두 번째 세계화의 시기에 가장 강력한 글로벌 기업으로 올라섰던 사치품 회사들의 영향력에 대해서 의미심장한 말을 했다.[05] 루이 비통, 엘리자베스 아덴, 프라다, 샤넬은 모두 하룻밤 사이에 현장에 나타났다. 가장 규모가 큰 세계

---

04 쇼핑 관광, 시장, 비공식 무역의 서서히 증가하는 흐름에 대해서는 Karl Schlögel: Archipel Europa, in: ders.: Marjampole oder Europas Wiederkehr aus dem Geist der Städte, München 2005, 65-86쪽을 참조하시오.

05 Gianluigi Guido: The Luxury Fashion Market in Russia, in: Handbook of research on global fashion management and merchandizing, Hershey, PA 2016, 670-694쪽.

사치품 회사들은 자신들의 컬렉션을 유명한 장소에서 보여 주었다. 예를 들면 카를 라거펠트는 모스크바의 '말리 극장'을 택했다.[06] 서유럽의 패션 전문 기업들은 러시아의 위대한 유산, 러시아 귀족 사회의 사치, '실버 에이지'의 세련과 러시아 아방가르드의 짜릿하게 흥분시키는 형식을 가지고 놀았다. 루이 비통은 2층 높이의 비통 여행 가방을 불빛이 밝은 '굼' 백화점 전면에 설치했는데 바로 레닌의 묘가 보이는 곳이다.[07] 서유럽 향수의 개선 행진은 옛 소련의 도시 중심부에서 일어난 라이프 스타일 혁명의 본질적인 특성이기는 하지만 단 한 번의 특성이었다. 이러한 '상황의 변화'—19세기 러시아 문학에서 혁명에 대한 수수께끼 같은 명칭—는 모든 영역에서 일어났다. 사람들은 집을 새로 꾸몄고, 카나리아 제도와 베네치아로 여행을 떠났으며, 프랑스산 치즈와 적포도주로 갈아탔다.

많은 사람들이 과도한 외국의 영향으로 느꼈던 침략에 대한 반응은 오래잖아 나타났다. 많은 사람들이 소련 시절의 향수들과 함께 잃어버린 시간을 찾으러 출발했다. 옛 브랜드들이 다시 만들어졌고 새로운 인기를 누렸다. '크라스나야 모스크바'는 다시 구할 수 있었다. 잃어버린 세계의 흔적들과 유물들을 끝까지 추적하려는 새로운 노력이 생겨났던 것처럼 새롭고도 낡은 자긍

06 Moritz Gathmann: Lagerfelds Mode für Moskau. Ein Hauch zu viel: http://www.spiegel.de/panorama/leute/lagerfelds-mode-fuer-moskau-ein-hauch-zu-viel-a-627876.html (2019.3.5.).

07 Karl Schlögel: Die Farbe der Globalisierung. Der Vuitton-Koffer auf dem Roten Platz, in: Tumult. Vierteljahresschrift für Konsensstörung, Winter 2014/2015, 29-31쪽.

심이 생겨났다. 거의 모든 바자회와 벼룩시장에는 소련 시절 혹은 혁명 이전 시절의 향수병들이 놓여 있는 판매대가 적어도 하나는 있었다. 이 향수병들은 재료에 대한 상세한 지식을 지닌 전문가들의 감시를 받았고, 자신들의 개인 소장품을 확장하기 위해 열정적으로 헌신하는 감식가들의 수집 대상이 됐다. 인터넷은 발견, 분실, 박식한 해설, 가족 앨범에서 나온 사진들을 게시하기 위한 포털 사이트로 넘쳐난다. 가상공간에서는 향수병이 세대 전체의 집단 기억의 중심 역할을 한다. 향수와 화장품 박물관들이, 예를 들면 키타이-고로드의 일린카 거리 4번지에 있는 모스크바 패션 박물관과 아르바트스카야 울티사 36-2번지에 있는 모스크바 향수 박물관이 문을 열었다. 향수병을 통해 러시아 향수의 역사를 이야기하는 화려한 장정의 화보가 출판됐다. 그리고 불가피하게 빈티지 향수병의 가격은 급등했다. 몇 년 전의―개봉하지 않은―트로이노이 향수병 한 개에 35,000루블 혹은 약 700유로의 돈을 치러야만 했다. 공항의 면세 구역에 있는 향수 가게를 통과하고 그 향수 가게의 평범한 냄새를 뒤에 남겨 두는 순간 그러한 보물들은 여전히 발견될 수 있다.

'검은 사각형뿐만 아니다':

말레비치의 향수병

기억, 노스탤지아 그리고 상실된 것으로 여겨진 아름다움을 탐색하는 이러한 흐름 속에 카지미르 말레비치가 제작한 향수병의 발견도 하나의 자리를 차지한다. 1937년 파리 세계박람회에서 소련 전시관에게 왕관을 씌웠던 베라 무키나의 기념비적 조각품인 '노동자와 집단농장 여성 농부'[01]가 건물 꼭대기에 설치된 모스크바 전시장에서 2017년 말과 그 다음해 초까지 전시회가 열렸다.

전시회의 제목은 '검은 사각형뿐만 아니다'였다. 말레비치를 잘 알고 있던 관객마저 말레비치가 소련의 유명한 향수 가운데 하나인 세베르니 향수의 병을 디자인했다는, 세상을 떠들썩하게 만든 소식에 놀랐다. '검은 사각형'으로 현대 예술에서 추상으로 가는 문을 열었던 카지미르 말레비치가 갑자기 향수병과 같

---

01 낫과 망치를 머리 위로 올린 두 인물의 조각품이다. 높이는 24.5m이며 1937년 파리에서 열린 세계박람회를 위해 베라 무키나가 스테인리스 스틸로 만든 후 모스크바로 옮겼다. (옮긴이 주)

은 일상적인 물건의 디자이너로 드러났다. 그것도 혁명 이전에.

말레비치와 샤갈 전문가인 알렉산드라 샤츠키흐는 말레비치의 발자취를 따라갔고 결국 말레비치가 세베르니 향수병의 디자이너임을 확인했다. 샤츠키흐는 말레비치의 후손들과 아주 친하게 지내면서 그들의 집에서 말레비치가 쿠르스크에서 모스크바로 되돌아와 가족을 부양해야만 했던 초기 몇 년 동안 예술가로서의 소명과는 전혀 관계가 없는 것처럼 보였던 상업적인 직업에 의존했다는 단서를 마침내 찾아냈다. 말레비치는 포스터, 광고, 삽화를 만들었고 물건들을 디자인했다. 아버지의 회사를 넘겨받은, 예술에 대한 조예가 깊은 예술품 수집가 알렉산드르 브로카르는 말레비치에게 세베르니 (북극) 향수의 디자인을 맡겼다.[02]

알렉산드라 샤츠키흐에 따르면 이러한 일은 1910년대 초에 있었음이 틀림없다. 말레비치는 이미 인상주의-상징주의 그림, 선명한 풍경과 초상화로 두각을 보이고 있었다. 말레비치는 그저 생계를 위해서 디자인 의뢰를 받아들였다. 하지만 몇 년이 채 지나지 않은 1915년 혹은 1916년쯤 말레비치는 '검은 사각형'을 그렸고, 이로써 그를 추상의 개척자, 절대주의의 창립자로 세계

---

02 Aleksandra Šatskich: Flakon Maleviča: upakovka mečty, Artguide vom 2017.12.6, http://artguide.com/posts/1382 (2019.3.5.); Sergey Borisov: Famous Artists as Perfume Bottle and Packaging Designers: https://www.fragantica.com/news/Famous-Artists-as-Perfume-Bottle-and-Packaging-Designers-10473.html (2019.3.5.); Jillian Steinhauer: Kazimir Malevich's Little-Known Perfume Bottle: https://hyperallergic.com/138287/kazimir-malevichs-little-known-perfume bottle/ (2019.3.5.); Dolgopolova: Parfjumerija v SSSR, I, 109쪽.

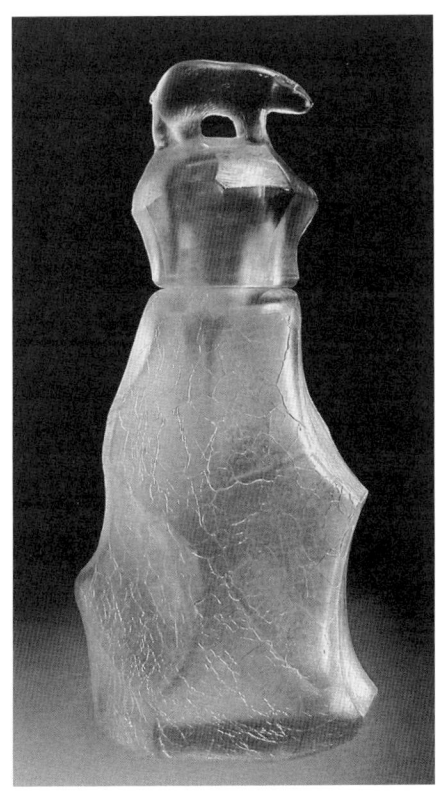

카지미르 말레비치의
북극곰 장식이 달린
세베르니 (북극) 향수병

적으로 유명하게 만들었다는 성명을 전달했다.[03]

말레비치는 총 길이가 약 19.5cm인 세 부분으로 구성된 병을 창안했다. 반투명의 크리스탈 몸통은 섬세하게 얽힌 잔금으로 장식됐고 유리 마개로 밀봉됐다. 마개 위에는 또다시 빙산으로 쉽게 알 수 있는 불규칙하게 형성된 유리 원뿔이 놓였고, 유리 원

---

03 말레비치의 작품에 대해서는 Larissa A. Shadowa: Malewitsch. Kasimir Malewitsch und sein Kreis. Suche und Experiment. Aus der Geschichte der russischen und sowjetis chen Kunst zwischen 1910 und 1930, München 1982를 참조하시오.

뿔의 꼭대기에는 정교하게 조각된 북극곰이 미끄러지지 않기 위해 유리 원뿔에 꽉 달라붙어 있다. 북극곰의 발, 털가죽, 꼬리와 얼굴은 매끄럽고 정교하게 깎였다. 말레비치의 디자인은 유리 제품 전문가인 예술가 아델 야코프레프나 야콥슨에 의해 기술적으로 보완됐다. 이것이 아마 디자인 창시자의 이름이 잊혀졌던 이유들 가운데 하나일 것이다. 빙산 꼭대기에 있는 곰은 1911년 향수병이 출시된 날부터 잠시 생산이 중단됐던 1996년까지 세베르니 향수의 트레이드마크가 되었다. 이 북극곰 장식은 세베르니 향수를 시프레와 트로이노이 향수와 함께 소련에서 유명한 향수로 만들면서 수백만 개의 병이 팔려 나갔다. 여러 세대는 그 병을 기억했을 것이고, 많은 사람이 북극곰 장식과 함께 성장했다. 북극곰 장식은 조금 변형되어 결국 디테일이 좀 단순해졌지만 상표의 트레이드마크로 여전히 쉽게 알아볼 수 있다. 그리하여 하나의 상징, 진짜 '기억의 장소'[04]가 된 것이다.

말레비치는 유리를 연마하는 방법과 같은 유리 제조의 세부 사항에 정통하지 않으면 안 됐다. 그가 그린 그림들 가운데 몇 개는—예를 들면 입체 미래주의 그림인 「칼 가는 사람」과 「향수 보관함」[05]은 이러한 사실을 암시한다. 태양이 떠오르는 어두운 배경과 대비되는 북극곰을 보여 주는 세르비니 향수 광고 포스

---

04 북극곰 향수병과 광고 포스터의 수많은 삽화는 Aleksandra Šatskich: Flakon Maleviča: upakovka mečty, Artguide vom 2017.12.6, http://artguide.com/posts/1382 (2019.3.5.) 에서 발견할 수 있다.

05 1913년의 입체 미래주의 그림인 「향수 보관함」은 전시 카탈로그에 수록되어 있다. Kazimir Malevich 1878-1935, Leningrad/Moscow/Amsterdam 1988, 93쪽.

| 1911년에 출시된 광고 포스터

터를 근거로 알렉산드라 샤츠키흐는 이 햇빛이 비치는 배경에서 오페라 「태양을 넘어선 승리」에 이르기까지 하나의 선이 이어진다고 주장한다. 말레비치는 이 오페라 작업을 벨리미르 흘레브니코프와 미하일 마추신, 알렉세이 크루체니크 등과 같은 다른 전위 예술가들과 공동으로 수행했다. 이 오페라는 1913년에 초연됐고 혁명적인 미래파 예술가의 '종합예술'의 창립 성명서로 받아들여졌다. 누군가 말했듯, 이 오페라는 말레비치의 동포이며 동년배인 세르게이 디아길레프가 파리에서 발레 뤼스(러시아 발레단)를 만들어 문화적 혁명을 만들 때에 거의 동시다발적으로 나타났다.[06]

---

06 A. Šatskich: Flakon Maleviča: upakovka mečty; Christiane Bauermeister u. a.: Sieg über die Sonne. Aspekte russischer Kunst zu Beginn des 20. Jahrhunderts. Ausstellung der

따라서 북극곰 장식이 있는 말레비치의 향수병은 어느 정도 '시대정신'을 반영한다. 20세기 초에 마지막으로 남아 있는 '미개척의 영역'인 북극에 도달하기 위한 경주는 한창 진행 중이었다. 1908년 프레드릭 쿡은 북극 탐험에 나섰고 일 년 뒤인 1909년 로버트 피어리가 뒤따랐다. 북극에 도달하기 위한 경주는 전 세계가 긴장해서 지켜봤던 경주였다. 러시아 혁명 이후 북극을 정복하고 소유하는 것은 소비에트 권력의 국가 프로그램으로 격상됐다. 북극을 횡단하는 것은 1930년대 대중매체와 선전의 중요한 이벤트였다.[07] 북극곰으로 상징됐던 '북극'이라는 이름을 단 향수는 이렇게 해서 소련 인민의 일상을 구성하는 견고한 심볼이 되었다.

이러한 발견으로 인해 샤넬 넘버 파이브 향수병의 기원에 대한 토론이 또다시 벌어질 것이다. 이때 분명히 밝혀질 사실은 다음과 같다. 지금 뉴욕 현대미술관의 고전 작품으로 분류된 간결하고 단순한, 미니멀한 유리병은 예술사학자들이 추정하듯이 피트 몬드리안의 미니멀리즘과 기하학적 추상과 관련이 없다. 오히려 차르 군대 장교들이 휴대했고 러시아 사람들 사이에서 '쉬토프'라는 독일어-발트어 이름으로 알려진 술통의 단순한 형태에서 그 기원을 찾을 수 있다. 왜냐하면 보드카를 보관하기 위해 만든 통이 이미 1914년에, 그러니까 샤넬 넘버 파이브가 출시되기 몇 해 전에 에르네스트 보가 랄레 넘버 원으로 출시했던 향수

Akademie der Künste und der Berliner Festwochen, Berlin 1983.

07 Die Eroberung des Nordpols, London 1938; Schlögel: Terror und Traum, 361-385쪽.

| 랄레 넘버 원 향수병

병의 모델이었다는 수많은 증거가 있기 때문이다.[08]

세베르니 향수병에 관해서는, 수백만 명의 사람이 여러 세대에 걸쳐 카지미르 말레비치가 디자인했던 일상의 물품을 사용했다. 하지만 그들은 카지미르 말레비치가 세베르니 향수병을 디자인했다는 사실을 알지 못했다. 세련된 디자인과 대량생산품의 유용성을 결합함으로써 일상을 미학적으로 형상화하고 싶은

08 Sergey Borisov: Famous Artists as Perfume Bottle and Packaging Designers. https://www.fragrantica.com/news/Famous-Artists-as-Perfume-Bottle-and-Packaging-Designers-10473.html (2019. 3. 5.). Philip Goutell: Lightyears-Collection. Perfume Projects: www.perfume projects.com/museum/Museum.shtml (2019. 10. 30.); 액체의 측량 단위와 보드카 용기로서 '쉬토프'에 대해서는 Geneviève Delafon: Un flacon, un parfum, tout un numéro, in: Les Chroniques No 62-Decembre 2016, 36-41쪽 그리고 기록: Énc ikopedičeskij slovar' Brokgauza i Efrona, 78 t., Sankt Petersburg 1903, 921쪽을 참조하시오.

아방가르드의 꿈이 현실이 됐다. 하지만 창작자와 소비자는 이 사실을 알지 못했다. 한 세기가 지나가는 동안 그리고 온갖 전환점, 격변, 재앙에도 불구하고 예술과 일상 세계는 서로를 발견했다. 말하자면 생산자와 소비자의 등 뒤에서.

이제 '극단의 세기'가 종식됐기 때문에, 공통의 기원을 가졌지만 평행선을 달렸던 그리고 종종 마주 보고 진행됐던 역사를 조립할 시간이 됐다. 우리는 제1차 세계대전과 러시아 혁명으로 인해 억지로 열렸던 세계화의 제1세대를 되돌아보아야 한다. 그때 뛰어난 조향사들은 향수 한 방울로 두 개의 계통을 만들었고. 두 개의 계통은 각각 수백만 명의 사람에게 향수의 상징과 아름다움의 유혹적인 힘이 됐다. 이 두 개의 발전은 동시대인들이 알고 있었던 것보다 더 많은 것을 공유하고 있었다. 이제 이러한 비밀스러운 관계가 노출됐기 때문에, 그것들은 나란히 전시될 수 있다. 세계적인 향수 아카이브와 향수 박물관은 그것들을 모아 놓는 최적의 장소가 될 것이다. 그 장소가 모든 것이 시작됐고 이미 박물관이 있는 리비에라 해변의 그라스가 되든, 파리에서 가깝고 향수의 세계 수도인 베르사유의 오스모테크가 되든, 혹은 자신의 역사를 확인하는 과정에 있는 모스크바가 되든, 아니면 샤넬 넘버 파이브와 나란히 크라스나야 모스크바(레드 모스크바) 혹은 카지미르 말레비치의 '빙하 위에 있는 북극곰'이 전시된 뉴욕의 현대미술관이 되든 상관없다.

참고 문헌

———

Académie Scientifique de beauté: http://www.academiebeaute.de/de/
the–brand/history.html (09.03.2019).

Swetlana Allilujewa: Zwanzig Briefe an einen Freund, Zürich o.J.

Aromaty i zapachi v kul'ture, t.1/2. Moskva 2003/2010.

Aromaty sovetskoj ženščiny, in: http://back–in–ussr.com/2015/05/
aromaty–sovetskoy–zhenschiny.html (15.03.2019).

›Art Deco: 1910–1939‹, Catalogue of the exhibition on display at the V & A
South Kensington from 27 March – 20 July 2003.

Roksana Avetisjan: Minpromtorg izučaet vozmožnost' importozameščenija v
parfjumerii. https://iz.ru/634495/roksana–avetisian/minpromtorg–zadumalsia–
ob–importozameshchenii–kosmetiki–i–duchov (29.08.2017).

Djurdja Bartlett: Fashion East. The Spectre That Haunted Socialism, Cambridge/
Mass. 2010.

Roland Barthes: The Match between Chanel and Vourrèges. As refereed by a
philosopher, Marie Clair, September 1967, abgedruckt in: Jean–Louis Fro-
ment: No.5 Culture Chanel, Ausstellung im Palais de Tokyo, New York 2013,
S. 43–44.

Antony Beevor: Die Akte Olga Tschechowa. Aus dem Englischen von Helmut
Ettinger, München 2004.

Anna Belova: »Žemčužina« Vjačeslava Molotova: Supruga narkoma, kotoruju
nenavidel Stalin, https://kulturologia.ru/blogs/071218/41551/ (12.08.2019).

Walter Benjamin: Das Passagen–Werk. Aufzeichnungen und Materialien, Gesam-
melte Schriften V.1, hg. von Rolf Tiedemann, Frankfurt/Main 1982.

A.A.Bogomolec: Prodlenie žizni, Kiev 1940.

Aleksandr A.Bogomolec: https://ru.wikipedia.org/wiki/Богомолец,_
Александр_Александрович (12.08.2019).

Bogomolec–Jubiläum: Naučnoe nasledie akademika A.A.Bogomol'ca
(k 130–letiju so dnja roždenija), in: Fiziologičeskij žurnal 2011, t.57,

No. 3, S. 88–95.

Sergey Borisov: Famous Artists as Perfume Bottle and Packaging Designers. https://www.fragrantica.com/news/Famous–Artists–as–Perfume–Bottle–and–Packaging–Designers–10473.html (05.03.2019).

Alexander Bortschagowski: Orden für einen Mord. Die Judenverfolgung unter Stalin. Aus dem Russischen von Alfred Frank, Berlin 1997.

Brokar/Novaja zarja: http://www.gdeparfum.ru/docs/document_3105.php (23.05.2017).

Michail Bulgakov: Der Meister und Margarita. Roman, übersetzt von Thomas Reschke, Darmstadt/Neuwied 1973.

Edmonde Charles–Roux: Coco Chanel. Ein Leben. Aus dem Französischen von Erika Tophoven, Wien 1988.

Constance Classen/David Howes/Anthony Synnott: Aroma. The Cultural History of Smell, London 1994, 2002.

Jean Cocteau: Le retour de Mademoiselle Chanel, in: Femina, mars 1954, wieder abgedruckt in: Jean–Louis Froment: No.5 Culture Chanel, Ausstellung im Palais de Tokyo, New York 2013, S. 5.

Alain Corbin: Pesthauch und Blütenduft. Eine Geschichte des Geruchs. Aus dem Französischen von Grete Osterwald, Berlin 1984.

Feliks Čuev: Sto sorok besed s Molotovym. Iz dnevnika F. Čueva, Moskva 1991. http://stalinism.ru/elektronnaya–biblioteka/sto–sorok–besed–s–molotovyim.html? (12.08.2019).

Michael David–Fox: Crossing Borders. Modernity, Ideology, and Culture in Russian and the Soviet Union, Pittsburgh 2015.

Delo Evrejskogo Antifašistskogo Komiteta, Dokument No 2, Zapiska M. F. Skirjatova i V. S. Abakumova o P. S. Žemčužinoj 27.12.1948, in: RGASPI. f.589, op.3, d.6188, l.25–31,kopija, in: https://www.alexanderyakovlev.org/copyright (15.03.2019).

Delo Evrejskogo Antifašistskogo Komiteta, Dokument No 14, L. P. Berija – v prezidium CK KPSS o rezul'tatach izučenija obstojatel'stv aresta izučenija P. S. Žemčužinoj, 12.05.1953. AP RF, f.3., op.32, d.17, l.131–134, in: https:// www.alexanderyakovlev.org/copyright (15.03.2019).

Georgi Dimitroff: Tagebücher, hg. von Bernhard H. Bayerlein. Aus dem Russischen und Bulgarischen von Wladislaw Hedeler und Birgit Schliewenz, Berlin 2000. – Kommentare und Materialien zu den Tagebüchern 1933–1943, hg. von Bernhard H. Bayerlein und Wladislaw Hedeler unter Mitarbeit von Birgit Schliewenz und Maria Matschuk, Berlin 2000. (darin: Kurzbiografie Polina (Perl) Semjonowna Shemtschushina S. 629.)

Nikolaj Dolgopolov: Neizvestnaja rol' Ol'gi Čechovoj, in: Rodina No 6 (616). https://.rg.ru/2016/06/09/rodina–chechova.html (01.08.2019).

N. A. Dolgopolova: Parfjumerija v SSSR. Obzor i ličnye vpečatlenija kollekcionera. Kniga pervaja, Moskva 2016.

Jürgen Döring (Hg.): Ästhetik und Verführung. Parfum, München/Berlin/London/New York 2005 (anlässlich der Ausstellung im Museum für Kunst und Gewerbe Hamburg 2005).

Dar'ja Ermilova: Sovetskaja moda, in: Sovetskij stil'. Vremja i vešči, Moskva 2012, S. 10–37.

Sheila Fitzpatrick: On Stalin's Team: The Years of Living Dangerously in Soviet Politics, Princeton 2015.

Janet Flanner: Perfume and Politics, The New Yorker, May 3, 1930. http://www.newyorker.com/magazine/1930/05/03/perfume–and–politics (25.02.2019).

R. A. Fridman: Technologija parfjumerii, Moskva 1949.

Jean–Louis Froment: No.5 Culture Chanel, Ausstellung im Palais de Tokyo, New York 2013.

Gianluigi Guido: The Luxury Fashion Market in Russia, in: Handbook of research on global fashion management and merchandizing, Hershey 2016.

Arthur Gold/Robert Fizdale: Misia. Muse. Mäzenin. Modell. Das ungewöhnliche Leben der Misia Sert, deutsch von Jürgen Abel, Bern/München 1981.

Dušistyj Genrich: Pervyj sekret »Sanel' N5«, http://www.kommersant. ru/doc/813950 (29.04.2019).

Eleonory Gilburd: To See Paris and Die. The Soviet Lives of Western Culture, Cambridge/Mass. 2018.

Gosudarstvennyj muzej izobrazitel'nych iskusstv imeni A. S. Puškina. Chanel: l'art comme univers = Shanel': po zakonam iskusstva / [Irina Antonova u. a.], Moscow 2007.

Philip Goutell: Lightyears–Collection. Perfume Projects. www.perfumeprojects.com/museum/Museum.shtml (30.10.2019).

Grasse. L'usine á parfums, Lyon 2015.

Jukka Gronow: Caviar with Champagne. Common Luxury and the Ideals of the Good Life in Stalin's Russia, Oxford/New York 2003.

Annette Green/Linda Dyett: Secrets of Aromatic Jewelry, Paris/New York 1998.

Ol'ga Gurova: Sovetskoe nižnee bel'e: meždu ideologiej i povsednevnost'ju, Moskva 2008.

Ingeborg Harms: Der Geist des Dufts. Im Pariser Palais de Tokyo feiert Chanel sein Parfum No5 – und wird damit Teil der Kulturgeschichte, in: Die Zeit, 2. Mai 2013.

Renata Helker: Die Tschechows. Wege in die Moderne. Hg. vom Deutschen Theatermuseum München, München 2005.

Bevis Hillier/Stephen Escritt: Art Deco Stile, New York 1997.

Rudolf Höß: Kommandant in Auschwitz. Autobiographische Aufzeichnungen des Rudolf Höß, hg. von Martin Broszat, München 1963.

Elena Huber: Mode in der Sowjetunion 1917–1953, Wien 2011.

Paul Jellinek: Die psychologischen Grundlagen der Parfümerie, Heidelberg 1994.

G. G. Iossel'son: Spravočnik proizvodstvennika parfjumera, 1933.

Geoffrey Jones: Beauty Imagined. A History of the Global Beauty Industry, Oxford/New York 2010.

Elena Jurova: Ukrašenie v SSSR, in: Marina Koleva: Sovetskij stil'. Vremja i vešči, Moskva 2012, S. 52–73.

Galina Kabakova: Zapach Smerti – Geruch des Todes –, in: Slavjanovedenie. 2000. No. 6, S. 21–25.

Galina Kabakova: Zapachi v russkoj kul'ture, in: Živaja starina. 1998, No. 2, S. 36–38.

G. N. Kasparov: Parfjumerno–kosmetičeskoe proizvodstvo, Moskva 1989.

Jeffrey Kastner: »The Art of Scent: 1889–2012.«, Artforum International, New York 2013.

Harry Graf Kessler: Das Tagebuch 1880–1937. Achter Band, Stuttgart 2009.

Stephen Kotkin: Stalin. Vol. II: Waiting for Hitler, 1928–1941, London 2017.

Marina Koleva: Sovetskaja parfjumerija, in: Sovetskij stil'. Vremja i vešči, Moskva 2012, S. 74–85.

Marina Koleva: Sovetskij stil'. Vremja i vešči, Moskva 2012.

V. Kožarinov: Tvorec illjuzii. Korol' russkoj parfjumerii Genrich Brokar, Moskva 2011.

Venjamin Kožarinov: Russkaja parfjumerija. Illjustrirovannaja istorija, Moskva 1999.

G. N. Kasparov: Parfjumerno–Kosmetičeskoe proizvodstvo, Moskva 1989.

G. Kostyrčenko: Stalin protiv »kosmopolitov«. Vlast' i evrejskaja intelligencija v SSSR, Moskva 2009.

Krasnaja Moskva, in: https://ru.wikipedia. Org/wiki/Krasnaja_Moskva (29.04.2016).

Krasnaja Moskva: http://www.casual–info.ru/wiki/Krasnaja+Moskva

(06.07.2017).

Ol'ga Kušlina: Tumany i duchi. Eine Besprechung von Verigins Buch: Bla-
gouchannost' parfjumera, Moskva 1996.

Olga Kušlina: Ot slova k zapachu: Russkaja literatura, pročitannaja nosom, in
NLO 2000, No. 43.

Mark Kušnirov: Ol'ga Čechova, Moskva 2015.

Karl Lagerfeld: Chanel's Russian Connection / Karl Lagerfeld, Göttingen 2009.

Karl Lagerfeld: Die Serie: For the first time, CHANEL tells its story. http://Insi-
de–Chanel.com (28.04.2019).

Aleksej Levinson: Povsjudu čem–to pachnet, in: Logos, 2000, No 1 (22),
S. 24–41.

Natal'ja Lebina: Sovetskaja povsednevnost': Normy i anomalii. Ot voennogo
kommunizma k bol'šomu stilju, Moskva 2015.

Christie Mayer Lefkowitch: The Art of Perfume. Discovering and Collecting
Perfume Bottles. Photographs by Skot Yobbagy, New York 1994.

Sergej Leont'ev: Genial'nyj širpotreb. Flakon odekolona po eskizu Kazimira Ma-
leviča vypuskali na Bachmet'evskom stekol'nom zavode v Nikol'ske, http://
penzatrend.ru/index.php/nsg/item/25356–genialnyy–
shirpotreb (05.03.2019).

Alexander Liberman: Photographs 1925–1995. Then. Preface by Calvin Tom-
kins. Commentary by Alexander Liberman. Selected and Designed by Charles
Churchward, New York 1995.

Viktor Lobkovič: Zolotoj vek russkoj parfjumerii i kosmetiki 1821–1921. Av-
torskaja kollekcija, Minsk 2005.

Michail Loskutov: »Graždanin francuzskoj respubliki«, in: Naši dostiženija No.
2, 1937 g., https://sergmos.livejournal.com/85233.html (15.03.2019).

Arno Lustiger: Rotbuch: Stalin und die Juden. Die tragische Geschichte des Jüdi-
schen Antifaschistischen Komitees und der sowjetischen Juden, Berlin 1998.

Masha Lipman: »Fade to Red? Style in the Land of Anti–style«, in: The New Yorker, 21. September, 1998, S. 106–113.

Paul Morand: L'allure de Chanel. Illustrations de Karl Lagerfeld, Paris 1996.

Musée international de la parfumerie. De la Belle Époque aux Années folles, la parfumerie au tournant du XXe siècle = From the Belle Époque to the roaring twenties, perfumery at the turn of the twentieth century, Nice 2016.

Axel Madsen: Sonia Delaunay. Artist of the Lost Generation, New York 1989.

Axel Madsen: Coco Chanel: A Biography, London 2009.

Kazimir Malevich 1878–1935. Ausstellungskatalog, Leningrad/Moscow/Amsterdam 1988.

I. A. Mankevič: Povsednevnyj Puškin. Poėtika obyknovennogo v žiznetvorčestve russkogo genija. Kostjum. Zastol'e. Aromaty i zapachi, Sankt–Peterburg 2013.

Tilar J. Mazzeo: Chanel No. 5. Die Geschichte des berühmtesten Parfums der Welt, Hamburg 2012.

Golda Meir: Mein Leben, Frankfurt/Main 1983.

Melodii trav. Istorija parfjumerii. Čast' 3. Flakony. Prodolženie, https://www.livemaster.ru/topic/309251–istoriya–parfyumerii–chast–3–flakony–prodolshenie (11.03.2019).

Marion Mienert: Großfürstin Marija Pavlovna. Ein Leben in Zarenreichen und Emigration. Vom Wandel aristokratischer Lebensformen im 20. Jahrhundert, Frankfurt/Main u. a. 2005.

Liana Millu: Smoke over Birkenau, Philadelphia 1991.

Boris Morozov: »Zhemchuzhina, Polina Semenovna.«, in: YIVO Encyclopedia of Jews in Eastern Europe, 12. November 2010, http://www.yivoencyclopedia.org/article.aspx/Zhemchuzhina_Polina_Semenovna. (12.11.2010).

Naučnoe nasledie akademika A. A. Bogomol'ca (k 130–letiju so dnja roždenija), in: Fiziologičeskij žurnal 2011, t. 57, No. 3, S. 88–95.

Nina Nazarova: Russkaja Služba Bi–bi–si vom 19. September 2017: »Krasnaja Moskva«: kak pridumannye do revoljucii duchi stali simvolom SSSR, in: http://www.bbc.com/russian/features–41304033 (22.09.2017).

V. A. Nikonov: Molotov: Molodost', Moskva 2005.

Vjačeslav Nikonov: Molotov. Naše delo pravoe, Moskva 2016.

Viktor Obolenskij: Russkij sled Koko Šanel', Moskva 2015.

Parfüm. Die wichtigsten Duftbausteine: https://de.wikipedia.org/wiki/Parfum (10.02.2019).

Marija Pirogovskaja: Miazmy, simptomy, uliki: Zapachi meždu medicinoj i moral'ju v russkoj kul'ture vtoroj poloviny XIV veka, Sankt–Peterburg 2018.

N. E. Pičyk: Bogomolec, Moskva 1964.

Jan Plamper: Sounds of February, Smells of October. A Sensory History of the Russian Revolution, unveröffentlichtes Manuskript 2017.

Jan Plamper: Die Russische Revolution. Vier Forschungstrends und ein sinneshistorischer Zugang – mit ausgewählten Quellen für den Geschichtsunterricht, in: Geschichte für heute, 10 (2017) 4, S. 5–17, https://www.fachportal–paedagogik.de/literatur/vollanzeige.html?FId=1133706#vollanzeige (12.08.2019).

Jane Pritchard (Hg.): Diaghilev and the Golden Age of the Ballets Russes 1909–1929, London 2011.

Marcel Proust: Auf der Suche nach der verlorenen Zeit 1. Unterwegs zu Swann, Frankfurt/Main 1994.

Jürgen Raab: Soziologie des Geruchs: Über die soziale Konstruktion olfaktorischer Wahrnehmung, Konstanz 2001.

Louis Rapoport: Stalin's War Against the Jews. The Doctor's Plot and the Soviet Solution, New York 1990.

Sasha Raspopina: Smells like Soviet spirit, http://www.theguardian.com/world/2014/nov/19/–sp–soviet–makeup–brief–history–russia (27.12.15).

Jonathan Reinarz: Past Scents. Historical Perspectives on Smell. Urbana/Chicago/Springfield 2014.

Eugène Rimmel: Book of Perfumes, London 1867.

Hans J. Rindisbacher: The Smell of Books: A Cultural–Historical Study of Olfactory Perception in Literature, Ann Arbor, Mich. 1995.

Joshua Rubenstein/Vladimir Naumov (Hg.): Stalin's Secret Pogrom: The Postwar Inquisition of the Jewish Anti–Fascist Committee, New Haven 2001.

Aleksandra Shatskich: Black Square. Malevich and the Origin of Suprematism. Translated by Marian Schwartz, New Haven/London 2012.

Aleksandra Šatskich: »Flakon Maleviča: upakovka mečty«, 06.12.2017 Artguide, http://artguide.com/posts/1382 (05.03.19).

A. Ščipakina: Moda v SSSR. Sovetskij Kuzneckij 14, Moskva 2009.

Katharina Tietze: »Schönheit für alle«. Parfum in der DDR, unveröffentlichtes Manuskript.

Olga Tschechowa: Meine Uhren gehen anders, München/Berlin 1973.

Olga Tschechowa: Plauderei über die Schönheit!, Berlin 1949.

Maja Turovskaja: Kazus Ol'gi Čechovoj, in: Snob 2014 (dekabr'–2015, fevral').

Konstantin Michajlovič Verigin: Blagouchannost'. Vospominanija parfjumera, Moskva: Kleograf 1996, http://Веригин%20Константин%20 Михайлович%20–%20Благоуханность.%20Воспоминания%20 парфюмера.%20Читать%20книгу%20онлайн.%20Страни. webarchive (06.01.2019).

Ol'ga Vajnštejn: Dendi. Moda. Literatura. Stil' žizni, Moskva 2006.

Ol'ga Vajnštejn: Semiotika »Šanel' No 5«, in: Ol'ga B. Vajnštejn: Aromaty i zapachi v kul'ture, Moskva 2003, S. 347–362.

Aleksandr Vasil'ev: Krasota v izgnanii. Tvorčestvo russkich ėmigrantov pervoj volny, Moskva 1998.

Aleksandr Vasil'ev: Russkaja moda, Moskva 2004.

Larisa Vasil'eva, Kremlevskie ženy: Fakty, vospominanija, dokumenty, sluchi, legendy i vzgljad avtora, Moskva 1993.

Hal Vaughan: Coco Chanel – Der schwarze Engel: Ein Leben als Nazi–Agentin, Hamburg 2011.

Viktorija Vlasova: Krasnaja Moskva: novaja ėpocha. Vintažnye aromaty, https://www.fragrantica.ru/news/Krasnaja–Moskva–novaja–epocha–7725.html (04.08.2019).

Viktorija Vlasova: Krasnaya Moskva. Žizn' i legendy, https://www.fragrantica.ru/news/Красная–Москва–жизнь–легенды–7721.html (01.09.2019).

Viktorija Vlasova: Stekljannyj medved' Maleviča – odekolon Severnyj. Vintažnye aromaty, https://www.gragrantica.runews/Stekljannyj–medved'–Malevica–odekolon–Severnyj–7410.html (04.08.2019).

Constantin Weriguine: Souvenirs et parfums: Mémoires d'un parfumeur, Paris 1965. Russ.: https://www.e–reading.club/book.php?book=1016413 (15.03.2019).

Coline Zellal: A l'ombre des usines en fleurs: genre et travail dans la parfumerie grassoise. 1900–1950, Lyon 2013.

Zolotoj jubilej tovariščestva Brokar i K, Moskva 1914.

E.Žirickaja, Legkoe dychanie: zapach kak kul'turnaja repressija v rossijskom obščestve 1917–1930–ch gg., in: Aromaty i zapachi v kul'ture, Moskva 2002, t.2,

https://ru–prichal–ada.livejournal.com/247207.html (13.08.2019).

E.A.Žirickaja: Zapach rodiny, in: Moskovskie novosti 12.10.1998.

E.A.Žirickaja: Tumany i duchi (Rezension zu K.M.Verigin: Blagouchannost': Vospominanija parfjumera), in: Zapachi v russkoj kul'ture, t.2, S.608–615.

Sergej Žuravlev/Jukka Gronov: Moda po planu. Istorija mody i modelirovanija odeždei v SSSR 1917–1991, Moskva 2013.

옮긴이 후기

러시아 역사 전문가인 카를 슐뢰겔은 향수의 세계로 시선을 옮긴다. 공통의 기원을 가졌던 프랑스 향수 '샤넬 넘버 파이브'와 소련 향수 '레드 모스크바'의 상호 연결된 역사를 조립해서 20세기 유럽의 향수와 정치의 관계에 대한 독특한 시각을 보여 준다. 로마노프 왕조 수립 300주년을 기념하기 위해 만들어졌던 '예카테리나 2세가 애용하던 향수'의 제조법이 러시아 혁명의 혼란 때문에 프랑스로 넘어가게 됐다. 바로 이 향수가 샤넬 넘버 파이브와 레드 모스크바의 토대였다. 러시아 혁명과 내전을 피해 프랑스로 도망간 조향사 에르네스트 보가 제시한 샘플 10개의 향을 모두 맡아 본 샤넬은 5번 샘플을 선택했다. 5번 샘플이 여성의 향기를 지닌 여성의 향수였기 때문이다. 샤넬은 그 향수를 샤넬 넘버 파이브로 부르기로 결정했다. 반면에, 러시아에 남기로 결정한 오귀스트 미셸은 혁명 10주년을 기념하는 레드 모스크바를 만들기 위해 자신이 만들었던 원래의 향수를 사용했다. 레드 모스크바는 향수에서 패러다임의 전환을 상징했다. 레드 모스크바에서 중요한 것은 향기가 아니라, 볼셰비즘의 이념을 구현하는 것이었다. 그 결과 레드 모스크바에서는 양배추와 절망의 냄새가 났지만, 샤넬 넘버 파이브는 "자기 전에 샤넬 넘버 파이브 두서너 방울을 뿌린다"는 마릴린 먼로의 고백 덕분에 성적

매력의 상징이 됐다.

샤넬 넘버 파이브와 레드 모스크바가 동서 냉전의 대리인이었다고 말하는 것은 너무 지나친 말일 것이다. 하지만 20세기 동서 양쪽의 창조의 힘이 향수 산업에 집중됐던 것은 확실하다. '검은 사각형'을 그린 추상의 개척자, 절대주의의 창립자인 카지미르 말레비치가 디자인한 러시아의 가장 유명한 향수 '세베르니'(북극을 의미하는) 향수병이 창작됐기 때문이다. 빙하처럼 생긴 이 향수병은 작은 북극곰 형상이 그 위에 얹혔고 병마개로 사용됐다.

슐뢰겔은 또 다른 향기, 즉 볼셰비키 시대, 나치 시대 그리고 스탈린 시대의 '야만의 냄새'에 대해 이야기한다. 후각 경험에서 향기와 악취는 쉽게 분리되지 않는다. 러시아와 독일에 산재한 죽음의 수용소나 강제수용소의 냄새, 특히 아우슈비츠의 시체 소각장의 참을 수 없는 악취는 생존자들에게는 잊을 수 없는 것이었다. 하지만 독자인 우리에게는 인류의 야만성에 대한 후각적인 기억이 없다. 과거의 역사에서 악취가 제거됐기 때문이다.

베를린 장벽이 무너진 이후 러시아는 서유럽 브랜드에 정복당했고 서유럽의 다른 곳과 같은 냄새도 풍겼다. 레드 모스크바는 젊은 러시아인들로부터 경멸을 당했다. 레드 모스크바에서 한마디로 '늙은 아줌마' 냄새, '할머니' 냄새가 났기 때문이다. 마치 그게 나쁜 일인 것처럼. 하지만 레드 모스크바는 소련 향수를 좋아하는 사람들과 샤넬 넘버 파이브의 값싼 대안을 원하는 사람들을 위한 새로운 비즈니스 모델로 다시 만들어지고 있다.

마지막으로 슐뢰겔은 스탈린의 대공포 시대를 상징하는 중요한 장소인 모스크바 니콜스카야 거리 23번지에 현재 고급 향수 부티크가 개장했다는 사실에 주목한다. 과거 이 장소에서 1936년과 1939년 사이에 31,456명의 사람이 사형선고를 받고 지하 터널을 통해서 루비안카 광장으로 끌려가 총살당했다. 학살의 장소에 고급 향수 부티크를 개장한다고 해서 역사(학살)의 악취는 제거될 수 없다. 악취도 향수처럼 망각하지 말아야 할 '시대의 냄새'인 것이다. 번역의 원본은 2020년 독일 한저(Hanser) 출판사가 발행한 카를 슐뢰겔의 『제국의 향기』(Karl Schlögel, Der Duft der Imperien)를 사용했다.

2021년 12월
편영수

저자 소개

1948년 독일 바이에른주 하방엔에서 태어난 카를 슐뢰겔은 러시아 근대와 스탈린주의의 역사, 러시아 디아스포라와 반체제 운동, 동유럽 도시들의 문화사, 역사적 내레이션의 이론적 문제들에 연구의 중점을 둔 독일 동유럽 역사가이며 저널리스트이다. 1969년 초에 베를린 자유 대학교에서 철학, 사회학, 동유럽 역사와 슬라브학을 공부하기 시작했다.

많은 사람들과는 달리 슐뢰겔은 살아 있는 동시대 사람들을 객관적인 역사 서술의 방해물이 아니라 본질적인 조건으로 이해한다. 동시대 사람들을 통해서 연구 대상은 비로소 구성된다. 슐뢰겔의 주제는 연구의 논리보다는 삶의 역사에서 겪은 경험에서 유래한다.

난민 운동과 디아스포라, 테러와 이데올로기, 지식인층과 시민사회 등과 같은 주제에 대한 연구는 전후 시대의 난민들과 이민자들 그리고 동유럽 반체제 인사들과의 직접적인 만남, 또 자신의 정치적 경험을 통해서 수행된다. 이것이 슐뢰겔이 소위 이념과 이데올로기에 의해 조종되는 역사에 대해 회의를 느끼고 정치 이전의 실질적이며 일상적인 문화 형태를 분석하는 것으로 방향을 돌린 이유이다.

옮긴이 소개

—

서울대학교 독문학과를 졸업하고 같은 과 대학원에서 카프카 연구로 박사 학위를 받았다. LG 연암문화재단 해외연구교수로 선발되어 독일 루트비히스부르크 대학에서 수학했다. 현재 전주대학교 명예교수로 있다. 프란츠 카프카와 관련된 다수의 논문, 번역서, 저서를 발표했다. 2018년 막스 브로트의 카프카 평전 『나의 카프카』로 '한독문학번역상'을 수상했다. 지금은 독일어권에서 생산되고 있는 문학과 문화와 관련된 책에 흥미를 갖고 우리말로 옮기는 작업을 하고 있다.

제국의 향기

샤넬 No. 5와 레드 모스크바

1판 1쇄 발행 2023년 12월 28일

지은이　　　카를 슐뢰겔
옮긴이　　　편영수
펴낸곳　　　마르코폴로
발행인　　　김효진
책임 편집　김효진
교정 교열　정혜인 & 황진규
디자인　　　위하영
제작　　　　재영 P&B

등록　　　　제2021-000005호
주소　　　　세종시 다솜1로9
이메일　　　laissez@gmail.com

ISBN　　　917-11-92667-45 4 03900